POES...

EX-LIBRIS

Este libro pertenece a

....

....

Castalia Prima

DIRECTORES:

Manuel Camarero y Fernando Carratalá

❧

1. Alarcón, Clarín, Galdós, Pereda, Valera: CUENTOS, *ed. de Kepa Osoro Iturbe*. 2. EL ROMANCERO, *ed. de José María Legido*. 3. Alejandro Casona: LA DAMA DEL ALBA, *ed. de Fernando Doménech Rico*. 4. CUENTOS DE LA EDAD MEDIA, *ed. de José Antonio Pinel*. 5. POESÍA ROMÁNTICA, *ed. de Rafael Balbín*. 6. Cervantes, García Lorca: DOS RETABLOS Y UN RETABLILLO, *ed. de Ana Herrero Riopérez*. 7. POESÍA DE LOS SIGLOS DE ORO, *ed. de Arcadio López-Casanova.*

POESÍA ROMÁNTICA

Edición a cargo
de Rafael Balbín

CASTALIA PRIMA

Copyright © Editorial Castalia, S.A., 1999
Zurbano, 39 - 28010 Madrid - Tel.: 91 319 89 40 - Fax: 91 310 24 42
Página web: http://www.castalia.es

Realización de cubierta: Víctor Sanz

Impreso en España - Printed in Spain

I.S.B.N.: 84-7039-837-7
Depósito Legal: M. 35.106-1999

Índice

Presentación

El Romanticismo español

La penetración en España de las corrientes románticas, plenamente activas ya en la mayor parte de los países europeos, se produce de una manera lenta y discontinua, y ello origina que su arraigo definitivo no tenga lugar hasta bien entrada la tercera década del siglo XIX. Considerando que hacia 1850 la tendencia realista que se iba extendiendo por Europa había empezado a ejercer también su dominio sobre nuestra literatura, un cálculo aproximativo de la duración del movimiento romántico en España nos da la exigua cifra de apenas veinte años. Esta particularidad temporal ha provocado siempre una notable diversidad de enfoques críticos al respecto, entre los cuales no han faltado los que niegan que pueda hablarse realmente de un Romanticismo español o los que, como mucho, ven en él un simple intento restaurador —sobre todo en el campo del teatro— de la tradición barroca interrumpida durante el siglo XVIII. Existe, sin embargo, una serie de circunstancias histórico-culturales que, si no son determinantes en la explicación del fenómeno, al menos intervienen en él de manera importante.

Aunque, conforme avanza el siglo XVIII, los atisbos prerrománticos se van haciendo cada vez más evidentes entre nuestros poetas neoclásicos, lo cierto es que, a principios del XIX, la estética dieciochesca seguía manteniendo una firme vigencia en el país. La ruptura con el presente cultural podía haber llegado en los momentos de fervor individualista y libertario a que dio lugar la propagación por Europa —incluida España— de los principios ideológicos de la Revolución Francesa o incluso en la posterior etapa de exaltación nacionalista generada por la Guerra de la Independencia contra un Napoleón al que ambiguamente se admira como propagador de los ideales revolucionarios y se odia como invasor de la patria. Sin embargo, la reacción absolutista contra los liberales iniciada por Fernando VII en 1814 y, sobre todo, la mantenida por el mismo rey desde 1823 hasta su muerte diez años más tarde —la llamada «década ominosa»— produjo el exilio de un considerable número de autores e impuso a los que se quedaron la inercia cultural de un país dispuesto a impermeabilizarse frente a las influencias extranjeras. Pero estas influencias habían sido progresivamente absorbidas por los exiliados en algunos de los centros europeos donde más ebullición ideológica y artística mostraba el nuevo movimiento, y será justamente a partir de 1833, una vez acabado el destierro, cuando se sucedan las primeras manifestaciones significativas del Romanticismo español.

Constreñido, pues, entre los límites de una prolongada herencia neoclásica y de una orientación realista que en esta ocasión sí se producía al par de la europea, el Romanticismo español tuvo tan poco tiempo para su pleno desarrollo que quizá ello explique, por una parte, la aparición tardía —ya en pleno Realismo— de los que son sin duda sus dos personalidades líricas más valiosas e influyentes (Bécquer y Rosalía de Castro) y, por otra, la persistencia a lo largo del siglo de manifestaciones progresivamente degeneradas de los aspectos más superficialmente patéticos y efectistas de la literatura romántica.

Aspectos temáticos de la literatura romántica

En un sentido amplio, puede decirse que la temática esencial y más característica de la poesía romántica surge de un impulso incontrolable por parte del autor de exteriorizar su propia intimidad. Esto, en principio, no supondría ninguna novedad, puesto que la expresión de sentimientos ha sido siempre el objeto específico de la lírica. Lo verdaderamente innovador es el modo con que el autor romántico vuelca en el poema las interioridades de su *yo*, en un alarde de exhibicionismo sentimental que, lejos de imponer el menor control a los resortes de su afectividad, se complace en dejarlos actuar libremente, con los resultados de incontinencia confesional, arrebato emotivo y exceso retórico que forzosamente derivan de ello. No hay sombra de pudor en ese desgarro lírico. Por el contrario, el poeta, como tal, se siente orgulloso de su capacidad para experimentar emociones que nunca estarán al alcance del mundo insensible y mediocre que le rodea: un mundo que no puede comprenderle y al que sólo cabe manifestar desprecio; un mundo cuya transformación moral debe reclamarse, pero de cuya agobiante realidad se siente el impulso de huir en ocasiones mediante los recursos de la imaginación.

Sobre estas constantes psicológicas, someramente expuestas, desarrollará el Romanticismo la mayor parte de su entramado temático-conceptual, a través de la diversidad de temas y subtemas que se analizan a continuación siguiendo la misma distribución clasificatoria a la que se atendrá esta antología.

1. La existencia como conflicto personal

Hay que retroceder hasta los poetas españoles del siglo XVII para encontrar una lírica que refleje tan amplia y explícitamente como la romántica la problemática existencial del autor, si bien ahora éste sustituirá la orientación ejemplarizante hacia la que tendían los barrocos por una voluntad poética sin otras miras que las del puro desahogo personal, proyectado en múltiples motivos temáticos cuya frecuente interrelación no impide agruparlos en los siguientes bloques:

1.a. La angustia de vivir. Avalado o no por acontecimientos biográficos que justifiquen su actitud, el poeta romántico suele proyectar en sus versos una visión personal de la vida que contrapone un pasado idealista y entusiasta, desbordante de fe en el porvenir, a un presente en el que, aplastadas sus ilusiones bajo el peso del mundo real, sólo tienen cabida el desengaño y la desesperanza. Esta actitud de extremo pesimismo aparece expresada en términos que oscilan entre la simple constatación melancólica de las propias circunstancias vitales y el arrebato agresivo de quien se siente traicionado por todo lo que le rodea, pasando por la aceptación más o menos angustiada de que esa realidad desoladora es, en definitiva, la manifestación de una fuerza superior —el destino— contra la que es inútil rebelarse.

1.b. La naturaleza: confidente y espejo emocional. El Romanticismo no fue el descubridor de la eficacia poética del paisaje, pero la irrupción y posterior desarrollo del movimiento son inseparables de una concepción de la naturaleza tendente a dotarla de significaciones existenciales desconocidas hasta entonces en la tradición literaria europea. Para el escritor romántico el medio natural no es ya esencialmente un marco embellecedor de estereotipada presencia cuya suprema impasibilidad envidia el ánimo agitado del autor. El Romanticismo irá mucho más lejos, al hacer del paisaje la materialización visual del propio estado anímico, con todo su caudal subjetivista de anhelos imposibles, turbulencias afectivas y amarguras vitales. Ello explica la tan característica preferencia romántica por los ambientes nocturnos, por los espacios desolados o abruptos, sometidos a la violencia de las fuerzas climáticas, y por los escenarios sepulcrales o presididos por ruinas, las cuales cumplen el doble objetivo de evocar un pasado lejano y de constatar el dominio final de la naturaleza sobre las realizaciones humanas.

1.c. La condición mortal y su incierta trascendencia. Puesto que el autobiografismo romántico discurre predominantemente por los cauces de una dolorosa insatisfacción vital, la muerte suele ser invocada con tópica frecuencia, como única portadora del olvido y el descanso definitivos. Pero el hecho de morir conlleva asimismo la anulación del propio *yo*, el más preciado bien existencial con que, a pesar de todo, cuenta el poeta: una anulación que será irreversible de no existir un más allá que garantice la supervivencia espiritual del hombre. Resumido en estos términos, el conflicto muestra unas posibilidades literarias que, en general, no motivaron al Romanticismo español —tampoco al europeo— para crear una poesía religiosa de cierta relevancia. Prolifera, en cambio —y no deja de ser religiosa a su manera—, una lírica centrada en la duda metafísica, en las preguntas sin respuesta, en el deseo de creer en lo que no se cree con la firmeza suficiente. Más allá sólo queda la certeza de la desaparición absoluta en medio de la más terrible soledad.

2. La temática amorosa

La lírica amorosa del Romanticismo no acaba de romper con la antigua tradición occidental que idealizaba a la amada hasta hacer de ella un ser superior y, en consecuencia, inaccesible para el enamorado, lo que conllevaba una identificación de la vivencia amatoria con el sufrimiento. El poeta romántico, como no podía ser menos, extremará el proceso idealizador, sobre todo en lo que atañe a la identificación del ser amado con la naturaleza, y traducirá la inaccesibilidad de éste en una exaltación del amor tanto más deseado cuanto más imposible se concibe. Pero el *yo* romántico es demasiado autoafirmativo e impetuoso como para mostrar una actitud de perenne sumisión, y con el mismo apasionamiento con que exalta la belleza de la amada o lamenta su esquividad, le puede hacer objeto de reproches o, cuando menos, recordar lo que ha perdido rechazando sus requerimientos pasionales. Y ello expresado en un tono de confesión sincera y espontánea que contrasta abiertamente con las manifestaciones amorosas de la literatura anterior, sometidas en mayor o menor grado a un encauzamiento poético siempre cuidadoso de impedir cualquier desbordamiento emocional.

3. La preocupación político-social

Aunque la tendencia evasiva del decepcionado escritor romántico es tan característica del movimiento como fecunda en resultados individuales, su existencia no suele afectar a la conducta personal de cada artista frente a la realidad social en la que vive. De hecho, muchos de los poetas recogidos en esta antología no sólo mostraron una indudable preocupación cívica, sino que llegaron a intervenir directamente en la política de su tiempo. Ahora bien, la proyección temática de tal preocupación podía responder a motivaciones histórico-sociales muy concretas o venir impulsada por una actitud global de desprecio hacia una sociedad decadente y corrompida que no duda en marginar a quien no asume sus leyes y sus principios morales. En este sentido, puede establecerse la siguiente diferenciación:

3.1. Los males de la patria. Los enfrentamientos liberales de la época contra el absolutismo y, muy en particular, la experiencia del exilio, dieron lugar a una abundante poesía de contenido político entre los primeros románticos españoles y sus más inmediatos imitadores. Posteriormente fue cobrando presencia lírica la denuncia de las carencias e injusticias sociales del país, expresada con acentos de noble y sincera inquietud, en los que se percibe claramente la conciencia de un «problema español».

3.2. El rechazo de las normas sociales. El Romanticismo supone la irrupción en el terreno artístico de una burguesía que la Revolución Francesa ha hecho consciente de su dominio como clase social portadora de los valores que deben sustentar la convivencia humana. Sin embargo, la proyección real de esos valores sobre los cimientos de la nueva sociedad resulta insatisfactoria, cuando no decididamente rechazable. Nace así, del seno mismo de la burguesía, una postura antiburguesa en cuya contradicción se refleja la crisis de identidad social que afectará desde entonces a buena parte de la literatura occidental contemporánea. Puesto que la sociedad, traicionando los antiguos ideales, reprime al individuo con sus rígidas e hipócritas leyes morales, la única actitud coherente por parte de éste será rebelarse y hacer de la marginación impuesta por los otros una automarginación asumida con todas sus consecuencias. Sin duda, la poesía exaltadora de personajes tan antisociales como el pirata, el mendigo, el verdugo, el contrabandista, etc. tiene una motivación más novelesca que cívica, por cuanto en tales protagonistas vemos encarnados todos los tópicos del individualismo rebelde y libertario a los que acude una y otra vez el autor romántico. Pero ello no excluye en absoluto su alto valor testimonial como literatura de protesta contra una sociedad injusta y represora.

4. Las evocaciones del pasado

Se ha mencionado ya esa propensión evasiva que, sin perjuicio de un sincero compromiso con la realidad político-social de su tiempo, impulsa al escritor romántico a valerse de otro de sus más preciados dones, la imaginación, para recrearse en la evocación de tiempos lejanos y lugares exóticos. También en este caso hay que decir que la recreación poética de mundos irreales tiene abundantes antecedentes en la historia de la literatura: recuérdense, por ejemplo, los ambientes mitológicos creados por la poesía renacentista y llevados a su más alto grado de artificiosidad por el culteranismo barroco. Pero al prestigio secular de la evocación mitológica, anodinamente prolongado por el Neoclasicismo dieciochesco, opondrá el Romanticismo su fervorosa atracción por la Edad Media: esa etapa histórica de oscuro y misterioso primitivismo en la que cabe toda especulación legendaria y en la que se divisan los orígenes de la identidad nacional, forjada sobre la base de una espiritualidad cristiana superadora —al margen de cualquier convicción religiosa— del paganismo cultural grecolatino. El predominio del componente espacial o del temporal en el proceso de alejamiento evocador permite el desdoblamiento subtemático propuesto a continuación, aun admitiendo su ocasional inconsistencia, sobre todo en lo que se refiere a la recreación de una España medieval inseparable de la presencia árabe, con sus connotaciones de lejano exotismo.

4.a. Los ambientes exóticos. Ya a lo largo del siglo XVIII había ido extendiéndose por Europa una corriente orientalizante a la que había contribuido poderosamente la exitosa publicación de los cuentos árabes de *Las mil y una noches*. El Romanticismo, lejos de aceptar pasivamente una herencia que coincidía con sus inclinaciones estéticas, la llevará hasta sus últimos extremos con una voluntad descriptivista en la que convergen referencias suntuosas, refinamientos sensoriales y ensoñaciones eróticas, sin que ello obstaculice la proyección del espíritu romántico en personajes de emblemática conducta libertaria o antisocial. Si bien este orientalismo no se limitaba al mundo árabe, el Romanticismo español contaba con un pasado histórico determinante al respecto.

4.b. Los asuntos histórico-legendarios. El Romanticismo español creó una poesía narrativa cuya valoración crítica ha superado siempre a la que, en su conjunto, han merecido los resultados líricos del movimiento. La extensión a veces casi novelística de sus mejores muestras impide su inclusión en esta antología, que, no obstante, recoge testimonios lo suficientemente ilustrativos de la modalidad. Se observará en ellos que, sobre un fondo medieval —o, como mucho, prerrenacentista— vagamente historicista en ciertos casos y sustentado en otros sobre una base histórica real, lo que mueve verdaderamente al poeta son las posibilidades de amplificar argumentalmente lo que no es más que simple anécdota, aglutinando en ella todo el caudal romántico de implicaciones emocionales y complacencias efectistas.

LA EXISTENCIA COMO CONFLICTO PERSONAL

La angustia de vivir

FRANCISCO MARTÍNEZ DE LA ROSA
(1787-1862)

1

La soledad[1]

Único asilo en mis eternos males,
augusta soledad: aquí en tu seno,
lejos del hombre y su importuna vista,
déjame libre suspirar al menos;
aquí, a la sombra de tu horror sublime,[2]   5

[1] Se trata quizá de la composición más decididamente romántica (dramatismo expresivo, violencia paisajística) de un autor cuyas convicciones estéticas nunca renunciaron del todo a los hábitos neoclásicos (utilización del romance endecasílabo, una forma métrica de frecuente elección entre los poetas
españoles del siglo XVIII).   [2] La tendencia romántica a la expresión hiperbólica y paradójica se hace patente en este verso: la soledad absoluta produce

daré al aire mis lúgubres lamentos
sin que mi duelo y mi penar insulten
con sacrílega risa los perversos,[3]
ni la falsa piedad tienda su mano,
mi llanto enjugue y me traspase el pecho.   10
Todo convida a meditar: la noche
el mundo envuelve en tenebroso velo,
y aumentando el pavor, quiebran las nubes
de la luna los pálidos reflejos.
El informe[4] peñasco, el mar profundo   15
hirviendo en torno con medroso[5] estruendo,
el viento que, bramando sordamente,
turba apenas el lúgubre silencio:
todo inspira terror y todo adula[6]
mi triste afán y mi dolor acerbo[7].   20
La horrible majestad que me rodea
lentamente descarga el grave peso
que mi pecho oprimió; por vez primera
se mezclan mis sollozos a mis ecos,[8]
y apiadado el destino da a mis ojos   25
de una mísera lágrima el consuelo.
¡Llanto feliz!: cual bienhechor rocío
templa[9] la sed del abrasado suelo,
calma la angustia, la mortal congoja
con que batalla mi cansado esfuerzo;   30

---

horror, pero a la vez inspira en el poeta un sentimiento de superioridad existencial que la convierte en *sublime*.   [3] Los sentimientos y emociones son sagrados para el autor romántico. Burlarse de ellos resulta, por tanto, *sacrílego*. [4] *informe*: irregular.   [5] *medroso*: temible.   [6] *adula*: complace.   [7] *acerbo*: despiadado.   [8] Es decir, por primera vez sus sentimientos (*sollozos*) encuentran en la naturaleza quien los escuche y responda (*ecos*).   [9] *templa*: disminuye.

y en plácida tristeza absorta, el alma
no evidiará la dicha ni el contento.
Solo en el mundo, de ilusiones libre,
de vil temor y de esperanza ajeno,
encontraré la paz que vanamente   35
me ofreció con su magia el universo.
¿Qué importa que a mi planta mal segura
aun falte tierra en que estampar su sello,[10]
y al carcomido escollo amenazando,
me estreche el mar en angustioso cerco?   40
¿No me basto a mí mismo? ¿No me es dado
alzar mis ojos sin pavor al cielo,
sentir mi corazón que quieto late
y el mundo contemplar con menosprecio?
Yo vi en la aurora de mi edad florida   45
sus encantos brindarse a mis deseos:
gloria, riquezas, cuantos falsos bienes
anhela el hombre en su delirio ciego,
en torno me cercaron; oficiosa[11]
la amistad redoblaba mi contento;   50
la pérfida ambición me sonreía;
me brindaba el amor su dulce seno...
Temí, temblé, me apercibí al combate,
demandé a mi razón su flaco esfuerzo;
y apenas pude en afanosa lucha   55
rechazar tanto hechizo lisonjero.
¡Qué fuera,[12] oh Dios, si al rápido torrente
yo propio me arrojara! En presto vuelo

[10] *sello*: huella.   [11] *oficiosa*: complaciente.   [12] *¡Qué fuera...!*: ¡Qué habría ocurrido...!

pasaron cinco lustros de mi vida
y el cuadro encantador huyó con ellos;   60
huyó, volví la vista, lancé un grito...
Y en vez de flores, encontré un desierto.

DUQUE DE RIVAS
(1791-1865)

2

Meditación[13]

¡Ay, con qué confïanza,
desde el risueño oriente[14] de la vida,
el mortal se abalanza
al mundo, que con goces le convida!

Tan sólo ve delante   5
risueños prados y lozanas flores;
sólo mira anhelante
fiel amistad y plácidos amores.

En saber y opulencia,
en grandeza, en poder, en gloria y fama   10

---

[13] El poema pertenece a la madurez del autor. Lejano ya el radicalismo
romántico de su drama *Don Álvaro o la fuerza del sino*, el tema del desengaño
adquiere aquí un tono reflexivo y aleccionador que denota la huella —siempre perceptible en el duque— de la literatura barroca española.   [14] *oriente*:
amanecer.

sólo ve su inocencia
de un magnífico sol la eterna llama.

Avanza fascinado
el pie por la carrera[15] seductora,
   y entra, ¡desventurado!,   15
donde al momento desengaños llora.

La que juzgó pradera
ve que al contacto mismo de su planta
   se marchita y se altera,
tornándose arenal yermo que espanta;   20

y las que desde lejos
eran flores fragantes, purpurinas,
   aromas y reflejos
pierden y se convierten en espinas.

Al seno palpitante   25
a quien su amigo se pregona estrecha,
   amigo que al instante
con un puñal el corazón le acecha.

El menguado[16] le fía
honra, fortuna, nombre y pensamiento,   30
   y encuentra al otro día
traición aleve,[17] estéril escarmiento.

Ve unos ojos de llama
y un seno de jazmines palpitante,

---

[15] *carrera*: camino.   [16] *menguado*: falto de juicio.   [17] *aleve*: pérfida.

y su pecho se inflama,   35
y sueña eternas dichas delirante;

y las lágrimas[18] bebe
(mejor fuera un veneno) deliciosas,
   que son sobre la nieve
de un rostro angelical perlas preciosas;   40

   y rendido a un encanto
que sus sentidos todos encadena,
   juzga verdades cuanto
brota el labio falaz de una sirena.[19]

   Mas cuando el alma tiene   45
más rendida a sus pies y más dichosa,
   un desengaño viene,
y se halla aislado en cárcel tenebrosa;

   y ve que al alto cielo,
insensible burlándose, le plugo[20]   50
   ofrecer a su anhelo,
en la forma de un ángel, un verdugo.

---

[18] Entiéndase «lágrimas de amor», supuestamente provocadas por la ausencia, los celos o cualquier otra circunstancia penosa.   [19] *sirena*: ser mitológico cuyo canto atraía irresistiblemente a los marineros, haciendo que sus barcos se estrellasen contra los acantilados. El tono crudamente antifeminista de todo el pasaje revela el extremismo emocional de los autores románticos, capaces otras veces de llegar al mayor grado de idealización amorosa. Obsérvese que el verbo intransitivo *brotar* está utilizado como transitivo.   [20] *plugo*: agradó (del verbo irregular *placer*). Es un arcaísmo poético, recurso de abundante presencia en la poesía romántica. Versos más adelante encontraremos otros tan frecuentes como *do* (donde) e *infelice* (infeliz).

Destrozado el corazón,
el alma en pedazos rota,
juzga, ¡oh alucinación!,   55
que es verdad otra ilusión
que descubre más remota;

y corre el mortal mezquino,
sediento, ansioso, a beber
en las fuentes del saber,   60
sin saber que su destino
es el de ignorante ser.

Así, de sed medio muerto,
tras agua y selvas hermosas
que son nubes engañosas,   65
el viajador del desierto
va con plantas anhelosas.

Libros revuelve, enciérrase, medita
    con vigiloso afán,
y en un caos sin fin se precipita   70
do los martirios de la duda están;

y sólo ve una luz, luz que le aterra
    y alumbra el *hasta aquí*
que trazó Dios en la infelice tierra
a nuestra inteligencia baladí.[21]   75

La tiniebla abandona desdeñoso
    que ciencia juzgó ya,

---

[21] *baladí*: insignificante.

y en busca de la dicha y del reposo,
en pos de otra ilusión perdido va.

      «La pompa y riqueza son   80
      sólo del mortal ventura»,
      dice, y corre y se apresura,
      y con alma y corazón
      las solicita y procura.

   Ya tesoros inmensos ha logrado.   85
      Sí, ya los consiguió.
¡Cuántos riesgos y penas le han costado!
¿Y qué es lo que con ellos, ¡ay!, logró?
      Susto, inquietud, desvelo
y más grande ansiedad que antes probó.   90
El corazón se le convierte en hielo,
      marchita su alma está;
ve que se burla de él feroz el Cielo,
y en pos de otra ilusión perdido va.

      Mas un nuevo sol radiante   95
      que sobre un monte se encumbra
      lo fascina y lo deslumbra,
      y a él se dirige anhelante.

      Es el del poder y mando,
      y hasta él es fuerza llegar   100
      con esfuerzo singular,
      obstáculos derribando.

   Por virtudes o crímenes (no importa),
la cumbre del poder su planta oprime,

y el sol, que el alma le dejara absorta   105
visto de lejos con su luz sublime,
en llama horrenda que el infierno aborta
ve convertido, y despechado gime
ardiendo en ella, ¡mísero!, entre horrores,
ansias, miedos, vigilias y rencores.   110

   Conoce el triste, y lo conoce en vano,
que allí de los cabellos le ha traído
de un demonio feroz la dura mano,
y quisiera, ¡infeliz!, no haber nacido.
Bajar procura de la cumbre al llano,   115
pero la escala, ¡ay Dios!, por do ha subido
se ha roto, se ha deshecho, y sólo mira
despeñaderos do los ojos gira.

   Cercana tiene otra aún más alta cumbre:
la cumbre de la gloria y de la fama;   120
espléndida la ve de hermosa lumbre,
y con sonora voz le exhorta y llama.

   Salta, atrevido, a colocarse en ella.
¡Cuán pocos lo consiguen! O le falta
el influjo benigno de una estrella   125
y a un mar de fango y de desprecio salta,

   o empujado de próspera fortuna,
se empina[22] y ciñe de laurel la frente

---

[22] *Se empina*: se eleva, se encumbra.

para apurar las penas, una a una,
que causan de la envidia el corvo diente,   130

de la calumnia el bárbaro veneno,
de la injusticia infame la osadía,
de la sucia ignorancia el negro cieno
y de la ingratitud la saña impía.

Destrozado el corazón,   135
el alma en pedazos rota,
muerta la imaginación,
ve que en mar de confusión
la barquilla humana flota;[23]

y torna el triste mortal   140
atrás los cansados ojos,
y, ¡oh desengaño final!,
ve sólo un ancho arenal
sembrado todo de abrojos.[24]

Tal vista le desconcierta: 145
se vuelve con ansiedad
en busca de la verdad,
y encuentra una tumba abierta
y detrás la eternidad.

---

[23] La imagen de la existencia humana como un *barco* que navega peligro-samente por el *mar* tempestuoso del mundo es uno de los tópicos literarios más constantes de la poesía española de los Siglos de Oro. [24] *abrojos*: malas hierbas.

JOSÉ DE ESPRONCEDA
(1808-1842)

3

A Jarifa en una orgía[25]

Trae, Jarifa, trae tu mano;
ven y pósala en mi frente,
que en un mar de lava hirviente
mi cabeza siento arder.
Ven y junta con mis labios   5
esos labios que me irritan,
donde aún los besos palpitan
de tus amantes de ayer.

¿Qué la virtud, la pureza;
qué la verdad y el cariño?   10
Mentida[26] ilusión de niño
que halagó mi juventud.
Dadme vino: en él se ahoguen
mis recuerdos; aturdida,
sin sentir, huya la vida,   15
paz me traiga el ataúd.

[25] Nos hallamos, sin duda, ante la composición que mejor recrea el proceso seguido por el autor romántico desde el idealismo desmedido hasta la desesperación causada por una realidad que le ha negado el cumplimiento de sus más altos deseos. La protesta desgarrada y el anhelo escapista aumentan su efectismo expresivo al surgir de una situación ambiental abiertamente provocativa: el autor se encuentra en un prostíbulo. Jarifa es nombre de resonancias orientales, siempre tan atractivas para los románticos. [26] *Mentida*: mentirosa.

El sudor mi rostro quema,
y en ardiente sangre rojos,
brillan inciertos mis ojos,
se me salta el corazón.   20
Huye, mujer; te detesto;
siento tu mano en la mía,
y tu mano siento fría,
y tus besos hielo son.

¡Siempre igual! Necias mujeres,   25
inventad otras caricias,
otro mundo, otras delicias,
¡o maldito sea el placer!
Vuestros besos son mentira,
mentira vuestra ternura,   30
es fealdad vuestra hermosura,
vuestro gozo es padecer.

Yo quiero amor, quiero gloria,
quiero un deleite divino
como en mi mente imagino,   35
como en el mundo no hay;
y es la luz de aquel lucero
que engañó mi fantasía
fuego fatuo,[27] falso guía
que errante y ciego me tray.[28]   40

---

[27] *fuego fatuo*: llama producida al ras del suelo por efecto de la combustión de ciertos elementos químicos desprendidos de la materia en descomposición. Es frecuente el empleo metafórico del concepto en relación con una realidad ilusoria, engañosa.   [28] *tray* (arcaísmo): trae.

¿Por qué murió para el placer mi alma
y vive aún para el dolor impío?
¿Por qué si yazgo en indolente calma,
siento en lugar de paz árido hastío?

¿Por qué este inquieto abrasador deseo?   45
¿Por qué este sentimiento extraño y vago
que yo mismo conozco un devaneo,
y busco aún su seductor halago?

¿Por qué aún fingirme amores y placeres
que cierto estoy de que serán mentira?   50
¿Por qué en pos de fantásticas mujeres
necio tal vez mi corazón delira,

si luego en vez de prados y de flores
halla desiertos áridos y abrojos,
y en sus sandios o lúbricos[29] amores   55
fastidio sólo encontrará y enojos?

Yo me arrojé, cual rápido cometa,
en alas de mi ardiente fantasía
doquier[30] mi arrebatada mente inquieta
dichas y triunfos encontrar creía.   60

Yo me lancé con atrevido vuelo
fuera del mundo, en la región etérea,

---

[29] *sandios o lúbricos*: estúpidos o lujuriosos.   [30] *doquier*: dondequiera, en cualquier parte.

y hallé la duda, y el radiante cielo
vi convertirse en ilusión aérea.[31]

Luego en la tierra, la virtud, la gloria   65
busqué con ansia y delirante amor,
y hediondo polvo y deleznable[32] escoria
mi fatigado espíritu encontró.

Mujeres vi de virginal limpieza
entre albas[33] nubes de celeste lumbre;   70
yo las toqué, y en humo su pureza
trocarse vi, y en lodo y podredumbre.

Y encontré mi ilusión desvanecida,
y eterno e insaciable mi deseo.
Palpé la realidad y odié la vida: 75
sólo en la paz de los sepulcros creo.

Y busco aún y busco codicioso,
y aún deleites el alma finge[34] y quiere;
pregunto, y un acento pavoroso:
«¡Ay! —me responde—, desespera y muere;   80

«muere, infeliz: la vida es un tormento,
un engaño el placer; no hay en la tierra
paz para ti, ni dicha, ni contento,
sino eterna ambición y eterna guerra;

«que así castiga Dios el alma osada   85
que aspira loca en su delirio insano[35]

---

[31] *aérea*: sin fundamento, irreal.   [32] *deleznable*: inconsistente.   [33] *albas*: blancas.   [34] *finge*: imagina.   [35] *insano*: demente.

de la verdad para el mortal velada
a descubrir el insondable arcano." [36]

¡Oh, cesa! No, yo no quiero
ver más ni saber ya nada;   90
harta mi alma y postrada,
sólo anhela descansar.
En mí muera el sentimiento,
pues ya murió mi ventura;
ni el placer ni la tristura   95
vuelvan mi pecho a turbar.

Pasad, pasad en óptica ilusoria
y otras jóvenes almas engañad;
nacaradas imágenes de gloria,
coronas de oro y de laurel, pasad.   100

Pasad, pasad, mujeres voluptuosas,
con danza y algazara en confusión;
pasad como visiones vaporosas
sin conmover ni herir mi corazón.

Y aturdan mi revuelta fantasía   105
los brindis y el estruendo del festín,
y huya la noche y me sorprenda el día
en un letargo estúpido y sin fin.

Ven, Jarifa; tú has sufrido
como yo; tú nunca lloras;   110

[36] *insondable arcano*: impenetrable misterio.

mas, ¡ay triste!, que no ignoras
cuán amarga es mi aflicción.
Una misma es nuestra pena;
en vano el llanto contienes...
Tú también, como yo, tienes   115
desgarrado el corazón.

NICOMEDES PASTOR DÍAZ
(1811-1863)

4

Mi inspiración[37]

Cuando hice resonar mi voz primera
fue en una noche tormentosa y fría;
un peñón de la cántabra ribera[38]
    de asiento me servía;
    el aquilón[39] silbaba;   5
la playa y la campiña estaban solas,
y el oceano[40] rugidor sus olas
    a mis pies estrellaba.

---

[37] Es una de las composiciones que mejor y más ampliamente desarrollan el motivo temático del sufrimiento existencial aceptado como imposición de un destino contra el que el poeta romántico no puede —o no quiere— luchar. [38] El autor había nacido en Vivero (Lugo). [39] *aquilón*: viento polar. [40] Es frecuente en la época la utilización del término *oceano* con acentuación llana.

No brillaban los astros en el cielo,
ni en la tierra se oía humano acento;   10
estaba oscuro, silencioso, el suelo
    y negro el firmamento.
    Sólo en el horizonte
alguna vez relámpagos lucían;
y al mugir de los mares respondían   15
    los pinares del monte.

Fuera[41] ya entonces cuando el pecho mío,
lanzado allá de la terrestre esfera,
vio que el mundo era un árido vacío;
    el bien, una quimera.   20
    Nunca un placer pasaba
blando ante mí, ni su ilusión mentida;
y el peso enorme de una inútil vida
    mi espíritu agobiaba.

Quise admirar del mundo la hermosura,   25
y hallé doquiera el mal; de amor ardía,
y nunca a mi benévola ternura
    otro amor respondía.
    Solo y desconsolado,
cantar quise a la tierra mi abandono;   30
mas ¿dó tienen los hombres voz ni tono
    para un desventurado?

Al destino acusé y acusé al cielo
porque este corazón dado me habían,

---

[41] Utilización de pretérito imperfecto de subjuntivo (*fuera*) con valor de perfecto simple (*fue*).

y de mi queja y de mi triste anhelo   35
    los cielos se reían.
    ¿Dó acudir? !Ay!, demente
visitaba las rocas y las olas
por gozarme en su horror, llorar a solas
    y gemir libremente.   40

Un momento a mi lánguido gemido
otro gemido respondió lejano,
que sonó por las rocas cual graznido
    de acuático milano.
    De momento se tiende   45
mi vista por la playa procelosa,[42]
y de repente, una visión pasmosa
    mis sentidos sorprende.

Alzarse miro entre la niebla oscura
blanco un fantasma, una deidad[43] radiante   50
que mueve a mí su colosal figura
    con pasos de gigante.
    Reluce su cabeza
como la luna en nebuloso cielo;
es blanco su ropaje, y negro velo   55
    oculta su belleza:

que es bella, sí; de cuando en cuando el viento
alza fugaz los móviles crespones,[44]

---

[42] *procelosa*: tempestuosa.   [43] *deidad*: ser de origen divino. No son infrecuentes en la poesía romántica este tipo de personificaciones alegóricas, casi siempre en forma de mujer extremadamente bella y misteriosa.   [44] *crespones*: velos negros que denotan luto.

y aparecen un rápido momento
    celestiales facciones.   60
    Pero nube de espanto
tiñó de palidez sus formas bellas,
y sus ojos, luciendo como estrellas,
    muestran reciente el llanto.

    Cual ciega tromba que aquilón levanta   65
en los mares del Sur, así camina;
y sin hollar el suelo con su planta,
    a mi escollo se inclina;
    llega calladamente;
en sus brazos me ciñe, y yo, temblando,   70
recibí con horror ósculo[45] blando
    con que selló mi frente.

    El calor de su seno palpitante
tornóme en breve de mi pasmo helado:
creí estar en los brazos de una amante,   75
    y «¿quién —clamé arrobado—,
    quién eres, que mi vida
intentas reanimar, fúnebre objeto?
¿Calmarás tú mi corazón inquieto?
    ¿Eres tú mi querida?   80

    «¿O bien desciendes del elíseo coro,[46]
sola y envuelta en el nocturno manto,
a ser la compañera de mi lloro,

---

[45] *ósculo*: beso. [46] *elíseo coro*: colectividad de difuntos cuyas almas, en términos de mitología grecolatina, habían accedido a la región feliz de los Campos Elíseos.

la musa de mi canto?
Habla, visión oscura;   85
dame otro beso o muéstrame tu lira:[47]
de amor o de estro el corazón inspira
a un mortal sin ventura».

«No —me responde con acento escaso,
cual si exhalara su postrer gemido—;   90
nunca, nunca los ecos del Parnaso[48]
mi voz han repetido.
No tengo nombre alguno,
y habito entre las rocas cenicientas
presidiendo al horror y a las tormentas   95
que en los mares reúno.

«Mi voz sólo acompaña los acentos
con que el alción[49] en su viudez suspira,
o los gritos y lánguidos lamentos
del náufrago que expira;   100
y si una noche hermosa
la playa dejo y su pavor sombrío,
sólo la orilla del cercano río
paseo silenciosa.

---

[47] *lira*: instrumento de cuerda con el que los poetas griegos acompañaban el canto de sus composiciones poéticas. La tradición literaria ha convertido el concepto en símbolo de la inspiración lírica, del *estro*, como se denomina a ésta en el verso siguiente. [48] *Parnaso*: monte de Grecia que la mitología consideraba residencia de las Musas. La tradición literaria lo ha convertido también en símbolo de la inspiración poética. [49] *alción*: ave mitológica, identificada con el martín pescador, en la que se transformó Alcíone de tanto llorar la muerte de su esposo. Ello explica la inmediata alusión a su viudez.

«Entro al vergel so[50] cuya sombra espesa   105
va un amante a gemir por la que adora;
voy a la tumba que una madre besa
    o do un amigo llora.
    ¡Pero en vano mi anhelo!
Sé trocar en ternezas mis terrores;   110
sé acompañar el llanto y los dolores,
    mas nunca los consuelo.

«¡Ni a ti, infeliz!... El dedo del Destino
trazó tu oscura y áspera carrera.
Yo he leído en su libro diamantino   115
    la suerte que te espera:
    a vano, eterno llanto
te condenó y a fúnebres pasiones,
dejándoos[51] sólo los funestos dones
    de mi amor y mi canto.   120

«De ébano y concha ese laúd te entrego
que en las playas de Albión hallé caído;[52]
no, empero, de él recobrará su fuego
    tu espíritu abatido.
    El rigor de la suerte   125
cantarás sólo, inútiles ternuras,

---

[50] *so*: bajo.   [51] El brusco paso del singular (*te*) al plural (*os*) en el uso del pronombre parece explicarse por estar referido el segundo tanto al autor como a su *llanto* y sus *pasiones*.   [52] *Albión* es el nombre grecolatino de la Gran Bretaña. Los versos aluden a un tipo de poesía particularmente melancólica y sombría que, como la del autor, bebe en las fuentes del romanticismo inglés. Frente al simbolismo de la lira clásica surge ahora el del *laúd,* con sus connotaciones trovadorescas y melancólicas.

la soledad, la noche y las dulzuras
    de apetecida muerte.

«Tu ardor no será nunca satisfecho,
y sólo alguna noche en mi regazo   130
estrechará tu desmayado pecho
    iluso, aéreo abrazo.
    ¡Infeliz si quisieras
realizar mis fantásticos favores;
pero más infeliz si otros amores   135
    en ese mundo esperas!»

Diciendo así, su inanimado beso
tornó a imprimir sobre mi labio ardiente;
quise probar su fúnebre embeleso,
    pero huyó de repente;   140
    voló; de mi presencia
despareció[53] cual ráfaga de viento,
dejándome su fúnebre instrumento
    y mi fatal sentencia.

¡Ay, se cumplió!, que desde aquel instante   145
mi cáliz amargar plugo a los cielos,
y en vano a veces mi nocturna amante
    torna a darme consuelos.
    Mis votos[54] más queridos
fueron siempre tiranas privaciones;   150
mis afectos, desgracias o ilusiones;
    y mis cantos, gemidos.

---

[53] *despareció* (arcaísmo): desapareció.   [54] *votos*: deseos, ruegos.

En vano algunos días la fortuna
ondeó sobre mi faz gayos[55] colores;
en vano bella se meció mi cuna   155
    en un Edén de flores;
    en vano la belleza
y la amistad sus dichas me brindaron:
rápidas sombras, ¡ay!, que recargaron
    mi sepulcral tristeza.   160

Escrito está que este interior veneno
roa el placer que devoré sediento.
¡Canta, pues, los combates de mi seno,
    infernal instrumento!
    Destierra la alegría,   165
que nunca pudo a su región moverte,
y exhala ya tus cánticos de muerte
    sin tono ni armonía.

Y tú, amor, si tal vez te me presentas,
no pintaré tu imagen adorada;   166
describiré el horror de las tormentas
    y mi visión amada.
    En mi negro despecho,
rocas serán mis campos de delicias,
lánguidas agonías mis caricias   170
    y una tumba mi lecho.

[55] *gayos*: alegres, vivos.

GERTRUDIS GÓMEZ DE AVELLANEDA
(1814-1873)

5

Al destino

Escrito estaba, sí: se rompe en vano
una vez y otra la fatal cadena,
y mi vigor por recobrar me afano.
Escrito estaba: el cielo me condena
a tornar siempre al cautiverio rudo,   5
    y yo obediente acudo,
    restaurando eslabones
que cada vez más rígidos me oprimen;
pues del yugo fatal no me redimen
de mi altivez postreras convulsiones.[56]   10

¡Heme aquí! ¡Tuya soy! Dispón, destino,
de tu víctima dócil: yo me entrego
cual hoja seca al raudo torbellino
    que la arrebata ciego.
¡Tuya soy! ¡Heme aquí! Todo lo puedes.   15
Tu capricho es mi ley: sacia tu saña.
Pero sabe, ¡oh cruel!, que no me engaña
la sonrisa falaz que hoy me concedes.

---

[56] Dentro del plano metafórico-político en que se desarrolla toda esta parte del poema, entiéndase «pues las posteriores sublevaciones (*postreras convulsiones*) de mi altivez no me liberan (*redimen*) de la esclavitud a que me somete el destino (*yugo fatal*).

GABRIEL GARCÍA TASSARA
(1817-1875)

6

Insomnio[57]

¡Mi sueño huyó! No quiero luz... Medito...
Silencio... Soledad... Tinieblas... Calma...
Siento dentro de mí como si el alma
se columpiara libre en lo Infinito.
Aunque cierre los ojos, la pupila,   5
    que sin cesar vigila,
finge el blanco relieve en la penumbra
    de marmóreas estatuas,
y al través de los párpados, vislumbra
chispas fugaces de llamitas fatuas.[58]   10

Voz de salterio[59] un salmo misterioso
semeja en lontananza: fugitivo
nace, vibra, se pierde vagoroso[60]
y se transforma en cántico amoroso...:
    un cántico lascivo   15
en el que flota el eco voluptuoso
de una voz muy remota que me nombra

[57] El poema recrea una variante del motivo temático del *sueño engañoso* —en este caso un estado de insomnio alucinatorio—, que permite al autor romántico dar rienda suelta a su imaginación idealizadora y quejarse después de que el mundo real no responda a esa imagen.   [58] *llamitas fatuas*: véase nota 27.   [59] *salterio*: libro que contiene los salmos bíblicos cantados en los oficios religiosos.   [60] *vagoroso*: impreciso, leve.

y con tenue latido cariñoso
me embarga dulcemente... Me amodorro.
Pero súbito surgen de la sombra   20
grupos de niños en alegre corro,
y encantado al mirarlos, me desvelo,
suave, leve, flotante como espuma.

   Desciende un blanco velo
y el pueril espectáculo se esfuma.   25
   Doncellas de ropaje transparente
danzan y agitan voluptuosamente
     las traslúcidas faldas,
tejiendo en su rondó,[61] rítmicamente,
sartas de vistosísimas guirnaldas;   30
     lucientes aureolas
de sus flotantes cabelleras fluyen,
y en ondas, como el paso de las olas,
hacia la oscuridad se alejan, y huyen.

   Aunque cierre los ojos, la pupila,   35
     que sin cesar vigila,
     finge el contorno vago
     de un castillo roquero,[62]
     y a sus plantas, un lago
sereno, inmóvil, cual pulido acero.   40

   Al pie del risco, un valle de esmeralda.
Siento aroma de azahar de un limonero.

---

[61] *rondó*: composición musical cuyo tema se repite varias veces. [62] *roquero*: edificado sobre una alta roca.

Muéstrase en el recodo de un sendero,
sobre la alfombra de amaranto y gualda,[63]
gentil pareja murmurando amores.   45

    Blonda[64] trenza desciende por la espalda
de la doncella, y al pasar, su falda
se impregna del perfume de las flores.
    La espesa cabellera, negra y suelta,
del gallardo doncel cae ondulante   50
bajo el birrete[65] azul de pluma esbelta.
Tierno modula la canción amante;
mira la amada faz con embeleso,
y atrayendo la boca purpurina,
se confunden los labios en su beso   55
cual conjunción de espíritus divina.

    ¡Visiones de otra edad: lagos, palacios
circundados de torres defensoras,
campiña pastoril, amplios espacios
      entre el cielo y las flores,   60
      embalsamadas[66] horas
que sembraban crepúsculos y auroras
libando besos y cantando amores!

    Y se aleja y se pierde
      la visión encantada: 65
su regio alcázar, su pradera verde,
su lago y su pareja enamorada...

---

[63] *amaranto y gualda*: plantas de flores rojas y amarillas, respectivamente.
[64] *blonda*: rubia. [65] *birrete*: gorro. [66] *embalsamadas*: perfumadas.

Quiero dormir. Sepulto en la almohada
la visionaria frente dolorida.
¿Por qué he de ver meciéndose en la Nada   70
lo que ambiciono ver lleno de vida?

De repente, compactos batallones
    de libres ciudadanos
desfilan ante mí. Blancos pendones[67]
llevan enhiestos en sus fuertes manos;   75
férvido[68] canto rumoroso siento:
¡es el himno de paz que dan al viento!

Van cubiertos de púrpuras y llevan
ropaje de tisú,[69] de plata y oro,
y el himno augusto sin cesar elevan   80
    en jubiloso coro.
¡Desfile exuberante de hermosura!

Van pasando los férvidos tropeles
    sobre airosos corceles,
luciendo cada cual su vestidura   85
    de prodigiosa trama,[70]
con garzotas, penachos, alquiceles,
dalmáticas, gualdrapas, albornoces,[71]
y al resonar sus entusiastas voces,
en derredor la atmósfera se inflama.   90

---

[67] *pendones*: banderas, estandartes. [68] *férvido*: ardiente. [69] *tisú*: tela de seda entretejida con hilos de oro y plata. [70] *trama*: tejido. [71] La enumeración se vuelve decididamente arcaizante en su alusión a diversos aspectos de la indumentaria antigua: adornos del sombrero o el casco (*garzotas, penachos*), tipos de vestimenta (*alquiceles, dalmáticas, albornoces*) y cobertura de los caballos (*gualdrapas*).

Van a un templo asentado en una altura,
que destaca en un cielo refulgente,
  de augusta arquitectura;
corre hacia él la alborozada gente
gritando ¡*hosanna*![72] en armonioso coro;   95
sobre el pórtico se alza una diadema[73]
de pórfido[74] y de mármol, cuyo lema
pregona *Paz* en caracteres de oro.

  ¿Qué resplandor es ése? Tamizada
huye la luz en gasas vaporosas.   100
¡Es la pálida luz de la alborada,
que aleja mis visiones engañosas!
¡Oh fantasmas nocturnos! ¡Oh visiones
  fugaces, impalpables!
Lagos, valles, airosos batallones,   105
legendarios amores inefables,
templo, alcázar, pradera, infantil coro,
ojos llenos de luz..., yo no he querido
vuestra incierta apariencia... ¡y ahora lloro
porque al brillar la aurora habéis huïdo!   110

  ¡Oh Luz-Verdad!, aunque eres pura esencia
de lo divino eterno, ¡es tan amargo
tu sabor! En ti está la omnisapiencia;[75]
tú eres Una, Inmortal..., y sin embargo,
  como tu mano es ruda,   115
no te buscan, huyendo de la Duda,

---

[72] *hosanna*: exclamación de júbilo de origen hebreo. [73] *diadema*: relieve
en forma de cinta ondulada. [74] *pórfido*: roca de color rojo oscuro. [75] *omni-sapiencia*: sabiduría absoluta.

sino los fuertes de ánimo y altivos;
porque del alma en la vibrante lira
sólo tañen con dedos compasivos
la Visión, el Ensueño, la Mentira.   120

GUSTAVO ADOLFO BÉCQUER
(1836-1870)

7

Rima LXVI

¿De dónde vengo? El más horrible y áspero
    de los senderos busca.
Las huellas de unos pies ensangrentados
    sobre la roca dura;
los despojos de un alma hecha jirones   5
    en las zarzas agudas
    te dirán el camino
    que conduce a mi cuna.

¿Adónde voy? El más sombrío y triste
    de los páramos cruza: 10
valle de eternas nieves y de eternas
    melancólicas brumas.
En donde esté una piedra solitaria
    sin inscripción alguna,
    donde habite el olvido,   15
    allí estará mi tumba.

ROSALÍA DE CASTRO
(1837-1885)

8

¡Cuán hermosa es tu vega, oh Padrón, oh Iria
[Flavia![76]
Mas el calor, la vida juvenil y la savia
    que extraje de tu seno,
como el sediento niño el dulce jugo extrae
    del pecho blanco y lleno,   5
de mi existencia oscura en el torrente amargo
pasaron, cual barridas[77] por la inconstancia ciega
una visión de armiño,[78] una ilusión querida,
    un suspiro de amor.

De tus suaves rumores la acorde consonancia[79]   10
ya para el alma yerta[80] tornóse bronca y dura
    a impulsos del dolor.
Secáronse tus flores de virginal fragancia,
perdió su azul tu cielo, el campo su frescura,
    el alba su candor.   15

La nieve de los años, de la tristeza el hielo
constante al alma niegan toda ilusión amada,
    todo dulce consuelo.

[76] *Padrón*: ciudad de la provincia de La Coruña, antigua Iria Flavia del
Imperio Romano.   [77] Entiéndase «como pasan barridas...»   [78] *armiño*: piel
del animal del mismo nombre, muy apreciada por su suavidad y blancura.
[79] *acorde consonancia*: armonía.   [80] *yerta*: fría, muerta.

Sólo los desengaños preñados de temores
    y de la duda el frío   20
avivan los dolores que siente el pecho mío,
    y ahondando mi herida,
me destierran del cielo, donde las fuentes brotan
    eternas de la vida.

9

Ya que de la esperanza para la vida mía
triste y descolorido ha llegado el ocaso,
a mi morada oscura, desmantelada y fría
    tornemos paso a paso,
porque con su alegría no aumente mi amargura   5
    la blanca luz del día.

Contenta el negro nido busca el ave agorera;[81]
bien reposa la fiera en el antro escondido;
en su sepulcro, el muerto; el triste, en el olvido;
    y mi alma en su desierto.   10

10

En su cárcel de espinos y rosas
cantan y juegan mis pobres niños,
hermosos seres, desde la cuna
por la desgracia ya perseguidos.[82]

---

[81] El búho ha sido considerado desde antiguo un ave *agorera*, es decir, anunciadora de desgracias.   [82] Nótese el terrible pesimismo del poema. El dolor ha pasado de ser destino personal a dominar el mundo, marcando desde el primer momento la existencia de los hijos.

En su cárcel se duermen soñando   5
cuán bello es el mundo crüel que no vieron,
cuán ancha la tierra, cuán hondos los mares,
cuán grande el espacio, qué breve su huerto.

Y le envidian las alas al pájaro
que traspone las cumbres y valles,   10
y le dicen: «¿Qué has visto allá lejos,
golondrina que cruzas los aires?»

Y despiertan soñando, y dormidos
      soñando se quedan
que ya son la nube flotante que pasa   15
o ya son el ave ligera que vuela
tan lejos, tan lejos del nido, cual ellos
de su cárcel ir lejos quisieran.

«¡Todos parten! —exclaman—. ¡Tan sólo,
tan sólo nosotros nos quedamos siempre!   20
¿Por qué quedar, madre; por qué no llevarnos
donde hay otro cielo, otro aire, otras gentes?»

Yo, en tanto, bañados en llanto mis ojos,
los miro en silencio, pensando: «En la tierra,
¿adónde llevaros, mis pobres cautivos,   25
que no hayan de ataros las mismas cadenas?
Del hombre, enemigo del hombre, no puede
libraros, mis ángeles, la egida[83] materna.»

---

[83] *egida* (o *égida*): en la mitología griega, piel de la cabra Amaltea que Zeus convirtió en escudo protector.

La naturaleza: confidente y espejo emocional

DUQUE DE RIVAS

11

A las estrellas

¡Oh refulgentes astros, cuya lumbre
el manto oscuro de la noche esmalta,
y que en los altos cercos[84] silenciosos
　　giráis mudos y eternos;

y oh tú, lánguida luna, que argentada　　　　5
las tinieblas presides, y los mares
mueves a tu placer, y ahora apacible
　　señoreas el cielo:

---

[84] *cercos*: órbitas.

ay, cuántas veces, ay, para mí gratas
vuestro esplendor sagrado ha embellecido   10
dulces, felices horas de mi vida
    que a no tornar volaron!

¡Cuántas veces los pálidos reflejos
de vuestros claros rostros derramados
húmedos resbalar por las colinas   15
    vi apacibles del Betis;[85]

y en su puro cristal vuestra belleza
reverberar con cándidos[86] fulgores
admiré al lado de mi prenda[87] amada,
    más que vosotros bella!   20

Ahora, al brillar en las salobres ondas,[88]
mísero y solo, prófugo y errante,
de todo bien me contempláis desnudo,
    y a compasión os muevo.

¡Ay!, ahora mismo vuestras luces claras,   25
que el mar repite y reverente adoro,
se derraman también sobre el retiro
    donde mi bien me llora.

Tal vez en este instante sus divinos
ojos clava en vosotros, ¡oh lucientes   30
astros!, y os pide con lloroso ruego
    que no alteréis los mares;

---

85 *Betis*: nombre romano del Guadalquivir.   86 *cándidos*: blancos.   87 *prenda*: persona muy querida.   88 *salobres ondas*: olas marinas. El poema fue escrito en el barco en que viajaba el autor hacia el exilio. Véase nota 174.

y el trémulo esplendor de vuestras lumbres
en las preciosas lágrimas rïela,[89]   35
que esmaltan, ¡ay!, sus pálidas mejillas
    y más bella la tornan.

NICOMEDES PASTOR DÍAZ

12

A la luna

Desde el primer latido de mi pecho,
condenado al amor y a la tristeza,
ni un eco a mi gemir, ni a la belleza
    un suspiro alcancé.
Halló por fin mi fúnebre despecho   5
inmenso objeto a mi ilusión amante,
y de la luna el célico[90] semblante
    y el triste mar amé.

El mar quedóse allá por su ribera;
sus olas no treparon las montañas: 10
nunca llega a estas márgenes extrañas
    su solemne mugir.
Tú, empero, que mi amor sigues doquiera,
cándida luna, en tu amoroso vuelo,

---

[89] *riela*: brilla temblorosamente en el agua.   [90] *célico*: celeste.

tú eres la misma que miré en el cielo   15
    de mi patria[91] lucir.

Tú sola mi beldad, sola mi amante,
única antorcha que mis pasos guía;
tú sola enciendes en el alma fría
    una sombra de amor.   20
Sólo el blando lucir de tu semblante
mis ya cansados párpados resisten;
sólo tus formas inconstantes visten
    bello, grato color:

ora[92] cubra cargada, rubicunda   25
nube de fuego tu ardorosa frente;
ora cándida, pura, refulgente,
    deslumbre tu brillar;
ora sumida en palidez profunda
te mire el cielo desmayada y yerta,   30
como el semblante de una virgen muerta,
    ¡ah!, que yo vi expirar.[93]

La he visto, ¡ay Dios!... Al sueño en que reposa
yo le cerré los anublados ojos;
yo tendí sus angélicos despojos   35
    sobre el negro ataúd.
Yo sólo oré sobre la yerta losa

---

[91] Aquí *patria* designa simplemente lugar de nacimiento. Gallego de origen, según quedó anotado, el autor vivió desde muy joven en Madrid. [92] *ora*: ahora. El término aparece aquí en su uso más frecuente: el de conjunción distributiva: *Ora... ora...* [93] El recuerdo traumático de un amor juvenil malogrado por la muerte reaparece constantemente en la obra poética del autor.

donde no corre ya lágrima alguna...
Báñala al menos tú, pálida luna,
    ¡báñala con tu luz!   40

   Tú lo harás, que a los tristes acompañas,
y al pensador y al infeliz visitas;
con la inocencia o con la muerte habitas;
    el mundo huye de ti.
Antorcha de alegría en las cabañas,   45
lámpara solitaria en las rüinas,
el salón del magnate no iluminas,
    ¡pero su tumba, sí!

   Cargado a veces de aplomadas nubes,
amaga[94] el cielo con tormenta oscura;   50
mas ríe al horizonte tu hermosura,
    y huyó la tempestad;
y allá del[95] trono do esplendente subes
riges el curso al férvido Oceano,
cual pecho amante que al mirar lejano   55
    hierve de su beldad.

   Mas, ¡ay!, que en vano en tu esplendor encantas;
ese hechizo falaz no es de alegría;
y huyen tu luz y triste compañía
    los astros con temor.   60
Sola por el vacío te adelantas,
y en vano en derredor tus rayos tiendes;
que sólo al mundo en tu dolor desciendes,
    cual sube a ti mi amor.

[94] *amaga*: amenaza.   [95] *del*: desde el.

Y en esta tierra, de aflicción guarida,   65
¿quién goza en tu fulgor blandos placeres?
Del nocturno reposo de los seres
    no turbas la quietud.
No cantarán las aves tu venida,
ni abren su cáliz las dormidas flores;   70
sólo un ser de desvelos y dolores
    ama tu yerta luz.

¡Sí, tú mi amor, mi adoración, mi encanto!
La noche anhelo por vivir contigo,
y hacia el ocaso lentamente sigo   75
    tu curso al fin veloz.
Páraste a veces a escuchar mi llanto,
y desciende en tus rayos amoroso
un espíritu vago, misterioso,
    que responde a mi voz.   80

¡Ay, calló ya!... Mi celestial querida
sufrió también mi inexorable suerte...
Era un sueño de amor... Desvanecerte
    pudo una realidad.
Es cieno ya la esqueletada[96] vida;   85
no hay ilusión, ni encantos, ni hermosura;
la muerte reina ya sobre natura,
    y la llaman... ¡VERDAD!

¡Qué feliz, qué encantado, si ignorante
el hombre de otros tiempos viviría,[97]   90

[96] *esqueletada*: convertida en esqueleto. [97] Entiéndase «¡Qué feliz, qué encantado viviría el hombre si ignorase lo que ocurrió en otros tiempos.»

cuando en el mundo de los dioses vía[98]
    doquiera la mansión!
Cada eco fuera un suspirar amante,
una inmortal belleza cada fuente;
cada pastor, ¡oh luna!, en sueño ardiente   95
    ser pudo un Endimión.[99]

    Ora trocada en un planeta oscuro,
girando en los abismos del vacío,
do fuerza oscura y ciega, en su extravío,
    cual piedra te arrojó,   100
es luz de ajena luz tu brillo puro,
es ilusión tu mágica influencia,
y mi celeste amor, ciega demencia,
    ¡ay!, que se disipó.

    Astro de paz, belleza de consuelo,   105
antorcha celestial de los amores,
lámpara sepulcral de los dolores,
    ¡tierna y casta deidad!,
¿qué eres, de hoy más, sobre ese helado cielo?
Un peñasco que rueda en el olvido   110
o el cadáver de un sol que endurecido
    yace en la eternidad.

---

[98] *vía* (arcaísmo): veía.   [99] *Endimión*: pastor mitológico amado por Selene (la Luna), al que Zeus concedió el don de la eterna juventud sumiéndolo en un sueño perpetuo. El pasaje, en su conjunto, rememora la mítica Edad de Oro, en la que el hombre convivía, libre de todo mal, con los dioses.

ENRIQUE GIL Y CARRASCO
(1815-1846)

13

Una gota de rocío[100]

Gota de humilde rocío
    delicada
sobre las aguas del río
    columpiada:
la brisa de la mañana   5
    blandamente,
como lágrima temprana,
    transparente,
mece tu bello arrebol[101]
    vaporoso   10
entre los rayos del sol
    cariñoso.

¿Eres, di, rico diamante
    de Golconda[102]
que en cabellera flotante,   15
    dulce y blonda,

---

[100] Tanto el presente poema como el reproducido a continuación representan la contrapartida más humilde e intimista del dramatismo emocional con que los escritores románticos se sintieron inmersos en la naturaleza. Ni tormentas ni picos escarpados: en una simple gota de rocío —como después en una violeta— encontrará melancólicamente el autor los signos de su propia existencia.   [101] *arrebol*: color rojizo del cielo a la salida y puesta del sol. [102] *Golconda*: antiguo reino de la India.

trajo una sílfide indiana[103]
    por la noche
y colgó en hoja liviana
    como un broche?   20
¿Eres lágrima perdida
    que mujer
olvidada y abatida
    vertió ayer?

  ¿Eres alma de algún niño   25
    que murió
y que el maternal cariño
    demandó?
¿O el gemido de expirante
    juventud   30
que traga, pura y radiante,
    el ataúd?
¿Eres tímida plegaria
    que alzó al viento
una virgen solitaria   35
    en un convento?

  ¿O de amarga despedida
    el triste adiós,
lazo de un alma partida,
    ¡ay!, entre dos?   40

  Quizá tu frágil belleza,
quizá tus dulces colores,

[103] *sílfide*: ser mitológico que habita en el aire. En el siglo XIX el adjetivo *indiano* se empleaba indistintamente como sinónimo de «hindú» —así en este caso— y de «americano no aborigen».

tus cambiantes[104] y pureza
y tu esbelta gentileza,
tus fantásticos albores,[105]   45
    son imágenes risueñas
de contento y de ventura,
son citas de una hermosura,
son las tintas halagüeñas
de alguna mañana pura.   50

    Que acaso bella te alzaste
entre el cantar de las aves
y magnífica ostentaste
tu púrpura y oro suaves,
y con ellos te enlazaste.   55

    Que acaso en cuna de flores
viste la lumbre del día,
y blando soplo de amores
te llevó una noche umbría
en sus alas de colores;   60

    y en la rama suspendida
de un almendro floreciente
oíste trova[106] perdida
en el perfumado ambiente,
por los ecos repetida.   65

---

104 *cambiantes*: variedades de colores.   105 *albores*: destellos de blancura.
106 *trova*: canción trovadoresca. El Romanticismo hizo del término una designación tópica del poema de carácter amoroso.

Ruiseñor enamorado
cantaba encima de ti,
y junto al tronco arrugado
oíste un beso robado
a unos labios de rubí.   70

Misterios y colores y armonías
encierras en tu seno, dulce ser,
vago reflejo de las glorias mías,
tímida perla que naciste ayer.

Pero es tan frágil tu existencia hermosa   75
y tu espléndida gala tan fugaz,
que es un vapor tu púrpura vistosa
que quiebra el ala de un insecto audaz.

Mañana ¿qué será de tus encantos,
de tus bellos matices, pobre flor?   80
No habrá pesares para ti, ni llantos,
ni más recuerdo que mi triste amor.

Si tu vida fue un soplo de ventura,
si reflejaste el celestial azul,
no caigas, no, sobre esta tierra impura   85
desde tu verde tronco de abedul.

Pídele al sol que con su rayo ardiente
disipe por los aires tu vivir,
o a un pájaro de pluma reluciente
que recoja en su pico tu zafir.   90

Que no naciste tú para este suelo,
para trocar en lodo tu beldad:
tú, más baja que espíritu del cielo,
más alta que la humana vanidad.

Quédate ahí pendiente de tu rama   95
cual blando mensajero de oración,
que sólo el verte la esperanza inflama
y alienta al quebrantado corazón.

Quizá al pasar un ángel solitario
te cubrirá con su ala virginal...   100
Si caes, envolverá frío sudario
tu forma vaporosa y celestial.

14

La violeta

Flor deliciosa en la memoria mía,
ven mi triste laúd[107] a coronar,
y volverán las trovas de alegría
en sus ecos tal vez a resonar.

Mezcla tu aroma a sus cansadas cuerdas;   5
yo sobre ti no inclinaré mi sien,
de miedo, pura flor, que entonces pierdas
tu tesoro de olores y de bien.

[107] Véase nota 52.

Yo, sin embargo, coroné mi frente
con tu gala en las tardes del abril,   10
yo te buscaba a orillas de la fuente,
yo te adoraba tímida y gentil.

Porque eras melancólica y perdida,
y era perdido y lúgubre mi amor;
y en ti miré el emblema de mi vida   15
y mi destino, solitaria flor.

Tú allí crecías olorosa y pura
con tus moradas hojas de pesar;
pasaba entre la hierba tu frescura
de la fuente al confuso murmurar.   20

Y pasaba mi amor desconocido,
de un arpa oscura al apagado son,
con frívolos cantares confundido
el himno de mi amante corazón.

Yo busqué la hermandad de la desdicha   25
en tu cáliz de aroma y soledad,
y a tu ventura asemejé mi dicha,
y a tu prisión mi antigua libertad.

¡Cuántas meditaciones han pasado
por mi frente mirando tu arrebol!   30
¡Cuántas veces mis ojos te han dejado
para volverse al moribundo sol!

¡Qué de consuelos a mi pena diste
con tu calma y tu dulce lobreguez,

cuando la mente imaginaba triste   35
el negro porvenir de la vejez!

Yo me decía: «Buscaré en las flores
seres que escuchen mi infeliz cantar,
que mitiguen con bálsamo de olores
las ocultas heridas del pesar».   40

Y me apartaba, al alumbrar la luna,
de ti, bañada en moribunda luz,
adormecida en tu vistosa cuna,
velada en tu aromático capuz.[108]

Y una esperanza el corazón llevaba   45
pensando en tu sereno amanecer,
y otra vez en tu cáliz divisaba
perdidas ilusiones de placer.

Heme hoy aquí: ¡cuán otros mis cantares,
cuán otro mi pensar, mi porvenir!   50
Ya no hay flores que escuchen mis pesares
ni soledad donde poder gemir.

Lo secó todo el soplo de mi aliento,
y naufragué con mi doliente amor;
lejos ya de la paz y del contento,   55
mírame aquí en el valle del dolor.

Era dulce mi pena y mi tristeza;
tal vez moraba una ilusión detrás;

[108] *capuz*: vestidura de luto con capucha.

mas la ilusión voló con su pureza;
mis ojos, ¡ay!, no la verán jamás.   60

Hoy vuelvo a ti, cual pobre vïajero
vuelve al hogar que niño le acogió;
pero mis glorias recobrar no espero;
sólo a buscar la huesa[109] vengo yo.

Vengo a buscar mi huesa solitaria   65
para dormir tranquilo junto a ti,
ya que escuchaste un día mi plegaria,
y un ser humano en tu corola vi.

Ven mi tumba a adornar, triste vïola,[110]
y embalsama su oscura soledad;   70
sé de su pobre césped la aureola
con tu vaga y poética beldad.

Quizá al pasar la virgen de los valles,
enamorada y rica en juventud,
por las umbrosas y desiertas calles[111]   75
do yacerá escondido mi ataúd,

irá a cortar la humilde vïoleta
y la pondrá en su seno con dolor,
y llorando dirá: «¡Pobre poeta!
¡Ya está callada el arpa del amor!»   80

---

[109] *huesa*: fosa, sepultura.   [110] *viola*: violeta.   [111] *calles*: caminos bordeados de árboles.

CAROLINA CORONADO
(1820-1911)

15

A una estrella[112]

Chispa de luz que fija en lo infinito
absorbes mi asombrado pensamiento,
tu origen, tu existencia, tu elemento[113]
menos alcanzo cuanto más medito.

Si eres ardiente, inamovible hoguera,   5
¿dónde el centro descansa de tu lumbre?
Si eres globo de luz, ¿cómo en la cumbre
no giras tú de la insondable esfera?

¿Por qué la tierra sin descanso rueda?
¿Por qué la luna el globo majestuoso   10
mueve, mientras tu carro misterioso
inmóvil, fijo en el espacio queda?

¿Es que mi vista de mortal no alcanza
a percibir desde su oscuro asiento
allá en la altura suma el movimiento   15
de tu carroza, que en lo inmenso avanza?

---

[112] En esta ocasión el apóstrofe sideral surge más al impulso de inquietudes puramente intelectuales —a la manera de fray Luis de León, cuya influencia es bien perceptible en el poema— que de un sentimiento de identificación existencial.   [113] *elemento*: principio constitutivo de un cuerpo.

¡Ah, sí!; que por espíritu[114] movida,
la creación sin descanso se sostiene,
y todo en la creación marcado tiene
forma y destino, movimiento y vida.   20

Tú giras, sí: tus alas soberanas
sulcan[115] el mundo y sus confines tocan...
Mas ¿cómo en tu carrera no se chocan
tus millares sin número de hermanas?

Más allá de su límite prescrito[116]   25
sediento avanza, audaz, el pensamiento,
y tu origen, tu vida, tu elemento
menos alcanzo cuanto más medito.

GUSTAVO ADOLFO BÉCQUER

16

Rima LII

Olas gigantes, que os rompéis bramando
en las playas desiertas y remotas:
envuelto entre la sábana de espumas,
¡llevadme con vosotras!

---

[114] *espíritu*: ser inmaterial provisto de inteligencia (es decir, Dios).
[115] *sulcan* (arcaísmo): surcan.   [116] *prescrito*: fijado, ordenado.

Ráfagas de huracán, que arrebatáis   5
del alto bosque las marchitas hojas:
arrastrado en el ciego torbellino,
    ¡llevadme con vosotras!

Nubes de tempestad, que rompe el rayo
y en fuego ornáis las desprendidas orlas:[117]   10
arrebatado entre la niebla oscura,
    ¡llevadme con vosotras!

Llevadme, por piedad, adonde el vértigo
con la razón me arranque la memoria...
¡Por piedad!... ¡Tengo miedo de quedarme   15
    con mi dolor a solas!

ROSALÍA DE CASTRO

17

Cenicientas las aguas; los desnudos
árboles y los montes, cenicientos;
parda la bruma que los vela y pardas
las nubes que atraviesan por el cielo:
triste en la tierra el color gris domina,   5
    ¡el color de los viejos!

---

[117] *orlas*: bordes adornados.

De cuando en cuando, de la lluvia el sordo
rumor suena, y el viento,
al pasar por el bosque,
silba o finge lamentos   10
tan extraños, tan hondos y dolientes,
que parece que llaman por los muertos.[118]

Seguido del mastín,[119] que helado tiembla,
el labrador, cubierto
con su capa de juncos, cruza el monte;   15
el campo está desierto,
y tan sólo en los charcos que negrean
del ancho prado entre el verdor intenso
posa el vuelo la blanca gavïota,
mientras graznan los cuervos.   20

Yo, desde mi ventana,
que azotan los airados elementos,[120]
regocijada y pensativa escucho
el discorde[121] concierto
simpático a mi alma...   25

¡Oh mi amigo el invierno!
Mil y mil veces bienvenido seas,
mi sombrío y adusto compañero.
¿No eres acaso el precursor dichoso
del tibio mayo y del abril risueño?   30

---

[118] *llaman por los muertos*: invitan a rezar por los difuntos.   [119] *mastín*: raza de perro pastor.   [120] *airados elementos*: fenómenos climáticos que se manifiestan con intensidad.   [121] *discorde*: inarmónico.

¡Ah, si el invierno triste de la vida,
como tú de las flores y los céfiros,[122]
también precursor fuera de la hermosa
y eterna primavera de mis sueños!

[122] *céfiros*: vientos suaves.

Gustavo Adolfo Bécquer.
Grabado de B. Maura según una pintura de V. Bécquer
(1884)

Ángel de Saavedra, duque de Rivas.
Dibujo de Federico de Madrazo
(1835)

La condición mortal y su incierta trascendencia

GERTRUDIS GÓMEZ DE AVELLANEDA

18

Cuartetos
escritos en un cementerio

He aquí el asilo de la eterna calma,
do sólo el sauce desmayado crece...
¡Dejadme aquí, que fatigada el alma
el aura[123] de las tumbas apetece!

Los que aspiráis las flores de la vida,   5
llenas de aroma de placer y gloria,

---

[123] *aura*: viento suave.

no piséis el lugar do convertida
veréis su pompa en miserable escoria;

    mas venid todos los que el ceño airado
del destino mirasteis en la cuna;   10
los que sentís el corazón llagado
y no esperáis consolación alguna.

    Venid también, espíritus ardientes,
que en ese mundo os agitáis sin tino
y cuya inmensa sed sus turbias fuentes   15
calmar no pueden con raudal mezquino.

    Los que el cansancio conocisteis antes
que paz os diesen y quietud los años,
¡venid con vuestros sueños devorantes,
venid con vuestros tristes desengaños!   20

    No aquí las horas, rápidas o lentas,
cuenta el placer ni mide la esperanza:
¡quiébranse aquí las olas turbulentas
que el huracán de las pasiones lanza!

    Aquí, si os turban sombras de la duda,   25
la severa verdad inmóvil vela;
aquí reina la paz eterna y muda,
si paz el alma fatigada anhela.

    Los que aquí duermen en profundo sueño
insomnes cual nosotros se agitaron: 30

ya de la muerte en el letal beleño[124]
sus abrasadas sienes refrescaron.

Amemos, pues, nuestra mansión futura,
única que tenemos duradera...,
¡que ilusión de la vida es la ventura,   35
mas la paz de la muerte es verdadera!

GABRIEL GARCÍA TASSARA

19

La tribulación[125]

Hay un Dios, me lo dice el alma mía;
la tierra de otro mundo es el camino;
para el hambre y la sed del peregrino
el desierto arenal la palma cría.

Yo tengo sed y hambre. La alegría   5
por siempre huyó del corazón mezquino,
y ya no pido a mi crüel destino
el bien que allá en mis sueños le pedía.

---

[124] *beleño*: planta de la cual se extrae una sustancia de efectos somníferos.
El epíteto *letal* (mortal) convierte la expresión en una referencia metafórica al
sueño de la muerte.   [125] *tribulación*: sufrimiento, adversidad.

Deshechas ya mis ilusiones veo
como pedazos, ¡ay!, de mis entrañas,   10
y ni temo ni espero ni deseo.

¡Oh tú que en mi aislamiento me acompañas!,
¿en quién he de creer si en ti no creo,
y a quién me he de volver si tú me engañas?

PABLO PIFERRER
(1818-1848)

20

La cascada y la campana

En cañada sombría una cascada zumba;
de las peñas tajadas[126] furiosa se derrumba,
y el negro sumidero en que brota y retumba
    la engulle toda.

He aquí que en lo más hondo, entre la niebla
                                    [oscura   5
que la espuma levanta, misteriosa figura
asomaba la cara: con siniestra amargura
    me sonreía.

«Tú que el abismo miras, mira en esta cascada
del destino del hombre la imagen retratada: 10
salta, brilla, retumba, se abisma, se anonada;[127]
    después, ¿qué es de ella?

---

[126] *tajadas*: cortadas verticalmente.   [127] *se anonada*: se reduce a nada.

«Un más allá no busques ni a ella ni a tu suerte;
joven, camina y brilla; difunde, varón fuerte,[128]
el son de tu renombre; después vendrá la muerte   15
    a anonadarte.»

Del vértigo hecho presa, cedía al parasismo;[129]
nublóseme la vista clavada en el abismo,
cuando con son lejano retornóme a mí mismo
    una campana.   20

Abrí atento el oído; su palabra sonora
desde el valle me dijo: «Tú, hombre, espera y ora
para que esta jornada, do toda pena mora,
    la cumplas fuerte.

«Cuan dolorosa es breve; el sepulcro, su fin;   25
más allá está tu patria, un eterno confín,
y allí tormento eterno o celestial festín
    dirálo el Juicio.

«La imagen de tu suerte contempla en la cascada:
en la hoya del peñasco entera se anonada,   30
mas por caño escondido rebrota en la llanada
    formando río.

«¿Lo ves que todo el llano serpentea y fecunda?
Su corriente a cien villas de riquezas inunda,
hasta que en el océano, con eterna y profunda   35
    unión, se abisma.

---

[128] Entiéndase «siendo joven...; siendo varón fuerte...» [129] *parasismo*:
paroxismo (estado de exaltación extrema).

«Dentro de ti propio llevas un destello divino;
su patria no es la tierra; el cielo, su destino;
Dios, su océano inmenso. ¿Dudas por el camino?
    Ora y espera.»   40

Su eco de peña en peña quebrantándose expira;
el sol la roja cúspide por vez postrera mira;
el aura vespertina en las ramas suspira:
    cayó la tarde.

GUSTAVO ADOLFO BÉCQUER

21

Rima LXI[130]

Al ver mis horas de fiebre
e insomnio lentas pasar,
a la orilla de mi lecho,
    ¿quién se sentará?

Cuando la trémula mano   5
tienda, próximo a expirar,

---

[130] La imaginación romántica puede hacerse morbosa hasta extremos como los que trasluce esta composición, donde el autor no se limita a expresar su presentimiento de una muerte en soledad, sino que recorre una por una todas las etapas del suceso, desde la enfermedad previa hasta el entierro del cadáver y posterior olvido de la persona.

buscando una mano amiga,
 ¿quién la estrechará?

Cuando la muerte vidríe[131]
de mis ojos el cristal,   10
mis párpados aún abiertos,
 ¿quién los cerrará?

Cuando la campana suene
(si suena en mi funeral),
una oración al oírla,   15
 ¿quién murmurará?

Cuando mis pálidos restos
oprima la tierra ya,
sobre la olvidada fosa,
 ¿quién vendrá a llorar?   20

¿Quién, en fin, al otro día,
cuando el sol vuelva a brillar,
de que pasé por el mundo,
 quién se acordará?

22

Rima LXXIII

Cerraron sus ojos,
que aún tenía abiertos;

---

[131] *vidríe*: Entiéndase *vidrioso* (adjetivo referido a la mirada inmóvil, apagada, de los muertos).

taparon su cara
con un blanco lienzo;
y unos sollozando,   5
otros en silencio,
de la triste alcoba
todos se salieron.

La luz, que en un vaso
ardía[132] en el suelo,   10
al muro arrojaba
la sombra del lecho;
y entre aquella sombra
veíase a intérvalos[133]
dibujarse rígida   15
la forma del cuerpo.

Despertaba el día,
y a su albor primero,
con sus mil rüidos
despertaba el pueblo.   20
Ante aquel contraste
de vida y misterios,
de luz y tinieblas,
medité un momento:
¡Dios mío, qué solos   25
se quedan los muertos!

[132] Se alude a un antiguo sistema de iluminación consistente en encender
una mecha sujeta a un pequeño disco (la *mariposa*) que flotaba en un recipien-
te con aceite.   [133] Razones métricas y de rima exigen la pronunciación esdrú-
jula de la palabra llana *intervalos*.

De la casa en hombros
lleváronla al templo,
y en una capilla
dejaron el féretro.   30
Allí rodearon
sus pálidos restos
de amarillas velas
y de paños negros.

Al dar de las ánimas   35
el toque[134] postrero,
acabó una vieja
sus últimos rezos;
cruzó la ancha nave,
las puertas gimieron,   40
y el santo recinto
quedóse desierto.

De un reloj se oía
compasado el péndulo
y de algunos cirios   45
el chisporroteo.
Tan medroso y triste,
tan oscuro y yerto
todo se encontraba,
que pensé un momento: 50
*¡Dios mío, qué solos
se quedan los muertos!*

---

[134] *toque de ánimas*: sonar vespertino de campanas con el que se invitaba a
los fieles a rezar por las ánimas del Purgatorio.

De la alta campana
la lengua de hierro
le dio, volteando,   55
su adiós lastimero.
El luto en las ropas,
amigos y deudos[135]
cruzaron en fila
formando el cortejo.   60

Del último asilo,
oscuro y estrecho,
abrió la piqueta
el nicho a un extremo.
Allí la acostaron,
tapiáronle[136] luego,   65
y con un saludo
despidióse el duelo.

La piqueta al hombro,
el sepulturero,
cantando entre dientes,   70
se perdió a lo lejos.
La noche se entraba;
reinaba el silencio;
perdido en las sombras,
medité un momento: 75
¡Dios mío, que solos
se quedan los muertos!

---

[135] *deudos*: parientes.   [136] El pronombre enclítico de *tapiáronle* se refiere al nicho. Es un caso de leísmo, hábito lingüístico generalmente aceptado entre los escritores de la época.

En las largas noches
del helado invierno,
cuando las maderas   80
crujir hace el viento
y azota los vidrios
el fuerte aguacero,
de la pobre niña
a solas me acuerdo.   85

Allí cae la lluvia
con un son eterno;
allí la combate
el soplo del cierzo.[137]
Del húmedo muro   90
tendida en el hueco,
¡acaso de frío
se hielan sus huesos!...

¿Vuelve el polvo al polvo?
¿Vuela el alma al cielo?   95
¿Todo es vil materia,
podredumbre y cieno?
No sé; pero hay algo
que explicar no puedo;
que al par nos infunde   100
repugnancia y miedo,
al dejar tan tristes,
tan solos los muertos.

[137] *cierzo*: viento frío del norte.

ROSALÍA DE CASTRO

23

Era apacible el día
y templado el ambiente,
y llovía, llovía
callada y mansamente;
y mientras silenciosa   5
lloraba yo y gemía,
mi niño, tierna rosa,
durmiendo se moría.[138]

Al huir de este mundo, ¡qué sosiego en su frente!
Al verle yo alejarse, ¡qué borrasca en la mía!   10

Tierra sobre el cadáver insepulto
antes que empiece a corromperse..., ¡tierra!
Ya el hoyo se ha cubierto, sosegaos;
bien pronto en los terrones removidos
verde y pujante crecerá la hierba.   15

¿Qué andáis buscando en torno de las tumbas,
torvo el mirar, nublado el pensamiento?
¡No os ocupéis de lo que al polvo vuelve!...
Jamás el que descansa en el sepulcro
ha de tornar a amaros ni a ofenderos.   20

---

[138] El poema fue escrito a raíz de la muerte accidental, sin haber cumplido aún los dos años, de un hijo de la autora.

¡Jamás! ¿Es verdad que todo
para siempre acabó ya?
No, no puede acabar lo que es eterno
ni puede tener fin la inmensidad.

Tú te fuiste para siempre, mas mi alma   25
te espera aún con amoroso afán,
y vendrás o iré yo, bien de mi vida,
allí donde nos hemos de encontrar.

Algo ha quedado tuyo en mis entrañas
que no morirá jamás,   30
y que Dios, porque es justo y porque es bueno,
a desunir ya nunca volverá.

En el cielo, en la tierra, en lo insondable
yo te hallaré y me hallarás.
No, no puede acabar lo que es eterno   35
ni puede tener fin la inmensidad.

Mas... es verdad: ha partido
para nunca más tornar.
Nada hay eterno para el hombre, huésped
de un día en este mundo terrenal,   40
en donde nace, vive y al fin muere
cual todo nace, vive y muere acá.

24

En los ecos del órgano o en el rumor del viento,
en el fulgor de un astro o en la gota de lluvia,

te adivinaba[139] en todo y en todo te buscaba,
    sin encontrarte nunca.

Quizá después te ha hallado, te ha hallado y te ha
                                   [perdido   5
otra vez, de la vida en la batalla ruda,
ya que sigue buscándote y te adivina en todo,
    sin encontrarte nunca.

Pero sabe que existes y no eres vano sueño,
hermosura sin nombre, pero perfecta y única: 10
por eso vive triste, porque te busca siempre
    sin encontrarte nunca.

[139] Como en el resto de la composición, el verbo está en tercera persona: una forma de distanciamiento expresivo que resulta un tanto insólita en la poesía romántica, tan inclinada siempre a enfatizar el *yo*.

LA TEMÁTICA AMOROSA

JUAN AROLAS
(1805-1849)

25

A una bella

Sobre pupila azul, con sueño leve,
tu párpado cayendo amortecido[140]
se parece a la pura y blanca nieve
que sobre las violetas reposó;
yo el sueño del placer nunca he dormido: 5
sé más feliz que yo.

Se semeja tu voz en la plegaria
al canto del zorzal de indiano suelo[141]
que sobre la pagoda[142] solitaria
los himnos de la tarde suspiró;   10

[140] *amortecido*: adormecido. [141] El zorzal o tordo es un ave emparenta-
da con ciertas variedades del mirlo. La alusión geográfica a la India (*indiano
suelo*: véase nota 103) parece más una nota exótica que una especificación or-
nitológica. [142] *pagoda*: templo oriental.

89

yo sólo esta oración dirijo al cielo:
    sé más feliz que yo.

Es tu aliento la esencia más fragante
de los lirios del Arno[143] caudaloso,
que brotan sobre un junco vacilante   15
cuando el céfiro blando los meció;
yo no gozo su aroma delicioso:
    sé más feliz que yo.

El amor, que es espíritu de fuego
que de callada noche se aconseja   20
y se nutre con lágrimas y ruego,
en tus purpúreos labios se escondió;
él te guarde el placer y a mí la queja:
    sé más feliz que yo.

Bella es tu juventud en sus albores   25
como un campo de rosas del Oriente;
al ángel del recuerdo pedí flores
para adornar tu sien, y me las dio;
yo decía al ponerlas en tu frente:
    sé más feliz que yo.   30

Tu mirada vivaz es de paloma:
como la adormidera[144] del desierto,
causa dulce embriaguez, hurí[145] de aroma
que el cielo de topacio[146] abandonó;

---

[143] *Arno*: río italiano que pasa por Florencia.   [144] *adormidera*: planta de la que se extrae el opio.   [145] *hurí*: mujer de belleza perfecta, moradora del paraíso musulmán.   [146] *topacio*: piedra semipreciosa de color amarillo.

mi suerte es dura; mi destino, incierto: 35
sé más feliz que yo.

GERTRUDIS GÓMEZ DE AVELLANEDA

26

A Él

Era la edad lisonjera
en que es un sueño la vida;
era la aurora hechicera
de mi juventud florida
en su sonrisa primera: 5

cuando sin rumbo vagaba
por el campo silenciosa
y en escuchar me gozaba
la tórtola que entonaba
su querella lastimosa.[147]   10

Melancólico fulgor
blanca luna repartía,
y el aura leve mecía
con soplo murmurador
la tierna flor que se abría.   15

[147] La identificación del canto de la tórtola con las penas amorosas (*querellas*) tiene una larga tradición en la poesía española.

¡Y yo gozaba! El rocío
—nocturno llanto del cielo—,
el bosque espeso y umbrío,
la dulce quietud del suelo,
el manso correr del río,   20

y de la luna el albor,
y el aura que murmuraba
acariciando a la flor,
y el pájaro que cantaba...,
¡todo me hablaba de amor!   25

Y trémula, palpitante,
en mi delirio extasiada,
miré una visión brillante,
como el aire perfumada,
como las nubes flotante.   30

Ante mí resplandecía
como un astro brillador,
y mi loca fantasía
al fantasma seductor
tributaba idolatría.   35

Escuchar pensé su acento
en el canto de las aves;
eran las auras su aliento,
cargadas de aromas suaves,
y su estancia el firmamento...[148]   40

[148] Hemos entrado en un ámbito de idealización amorosa de connotaciones inequívocamente panteístas (amado = naturaleza = ¿Dios?), bastante

¿Qué extraño ser era aquél?
¿Era un ángel o era un hombre?
¿Era un dios o era Luzbel?...[149]
¿Mi visión no tiene nombre?
¡Ah, nombre tiene: era Él!   45

El alma soñaba tu imagen divina
y en ella reinabas ignoto señor,[150]
que acaso su instinto feliz adivina
los rasgos que debe grabarle el amor.

Al sol en que el cielo de Cuba[151] destella,   50
del trópico ardiente brillante fanal,[152]
tus ojos eclipsan; tu frente descuella
cual se alza en la selva la palma real.[153]

Del genio la aureola radiante, sublime,
ciñendo contemplo tu pálida sien,   55
y al verte, mi pecho palpita y se oprime,
dudando si formas mi mal o mi bien.

Que tú eres, no hay duda, mi sueño adorado,
el ser a quien tanto mi pecho anheló;
mas, ¡ay!, que mil veces el hombre, arrastrado   60
por fuerza enemiga, su tumba buscó.

---

característico de la lírica femenina del Romanticismo español. Véase al respecto el poema 24 (aunque carente de referencias amorosas) y, sobre todo, el poema 28 (resuelto en implicaciones claramente místicas).   [149] *Luzbel*: uno de los nombres del demonio.   [150] Entiéndase «como ignoto (desconocido) señor».   [151] La autora era cubana, aunque vivió en España desde los veintidós años.   [152] *fanal*: farol.   [153] *palma real*: variedad de palmera muy abundante en Cuba.

Así vi a la mariposa
inocente, fascinada,
en torno a la luz amada
revolotear con placer;   65
insensata se aproxima
y la acaricia insensata,
hasta que la luz ingrata
devora su frágil ser.[154]

Y es fama que allá en los bosques   70
que habita el indio indolente[155]
nace y crece una serpiente
de prodigioso poder.
Si sus hálitos[156] exhala,
en apariencia süaves,   75
volando bajan las aves
en su garganta a caer.

¿Y dónde van esas nubes
por el viento compelidas;[157]
dónde esas hojas perdidas   80
que del árbol arrancó?...
¡Ay!, lo ignoran: las arrastra
el poder de su destino,
y ceden al torbellino
como al amor cedí yo.   85

---

[154] También se apoya en una larga tradición poética el símbolo de la mariposa que se ve atraída por la luz (el amor) y se abrasa a su contacto (sufrimiento, enajenación amorosa). [155] *indolente*: perezoso, imperturbable. Parece más adecuada la segunda acepción. [156] *hálitos*: alientos. [157] *compelidas*: impulsadas, forzadas.

Así vuelan resignadas
y no saben dónde van...,
pero siguen el sendero
que les traza el huracán.

Vuelan, vuelan en sus alas   90
nubes y hojas a la par,
ora al cielo las levante,
ora las hunda en el mar.

¿Y a qué pararse sirviera?   95
¿A qué el término inquirir?
¡Ya a la altura, ya al abismo,
su curso habrán de seguir!

ENRIQUE GIL Y CARRASCO

27

Fragmento[158]

Mujer, fueron los días de mi gloria,
los días de mi bella libertad,
vagos ensueños de oriental historia,
abril que ya se hundió en la eternidad.

[158] Publicado con este título.

Sólo un recuerdo bello se levanta   5
entre tinieblas húmedas y olvido:
voz solitaria que apacible canta,
cascada de dulcísimo rüido.

Día feliz de amor y de ignorancia,
en que latió mi virgen corazón,   10
puro como los juegos de la infancia,
dulce como mi tímida pasión;

día que vio un amargo desengaño
rasgar cual hoja vana el porvenir;
día de llanto y de dolor extraño,   15
y que aun así no puedo maldecir.

Que tu figura a tan infausto día
está mezclada, blanca y celestial,
espléndida de luz y de alegría,
aérea, vaporosa, virginal;   20

que todavía mis nublados ojos,
al mirar mi desierto abrasador,
truecan en flores áridos abrojos
y tejen las guirnaldas del amor.

Mujer, ¿sólo te vi para perderte?   25
¿Es para ti mentida claridad
esta pasión que se hundirá en la muerte,
que verá la confusa eternidad?

¡Oh!, morir sin llevar una esperanza;
abandonar la vida, el aire, el sol,   30

los azulados mares en bonanza,
del occidente[159] el mágico arrebol;

temblar a tu desprecio y a tu olvido
como palma que azota el huracán...
Tal miseria y dolor no has conocido,   35
pacífica doncella sin afán.

Ángel puro, tu paz y tu contento
no han sucumbido al dardo del dolor,
por más que en alas del nocturno viento
lleguen a ti los cantos de mi amor.   40

Mas los ángeles lloran en el cielo
por el amor que muere sin laurel...
Si ha de pasar el mío sin consuelo,
vierte, hermosa, una lágrima por él.

CAROLINA CORONADO

28
El amor de los amores[160]

I

¿Cómo te llamaré para que entiendas
que me dirijo a ti, dulce amor mío,

---

[159] *occidente*: ocaso.   [160] Aunque el final de esta composición no deja
dudas acerca de su definitiva orientación religiosa, la autora —asumiendo la

cuando lleguen al mundo las ofrendas
que desde oculta soledad te envío?

A ti, sin nombre para mí en la tierra,   5
¿cómo te llamaré con aquel nombre
tan claro, que no pueda ningún hombre
confundirlo al cruzar por esta sierra?

¿Cómo sabrás que enamorada vivo
siempre de ti, que me lamento sola,   10
del Gévora[161] que pasa fugitivo
mirando relucir ola tras ola?

Aquí estoy aguardando en una peña
a que venga el que adora el alma mía.
¿Por qué no ha de venir, si es tan risueña[162]   15
la gruta que formé por si venía?

¿Qué tristeza ha de haber donde hay zarzales
todos en flor, y acacias olorosas,
y cayendo en el agua blancas rosas,
y entre la espuma lirios virginales?   20

Y ¿por qué de mi vista has de esconderte;
por qué no has de venir si yo te llamo?

---

herencia de nuestra poesía «a lo divino», que toma como modelo el *Cantar de los cantares* bíblico y alcanza su cima con el *Cántico espiritual* de san Juan de la Cruz— despliega sus más profanos acentos hasta llegar a dar sentido trascendente —de bien perceptibles rasgos místicos— a una concepción del amor inconfundiblemente romántica en su esencial idealismo (búsqueda de lo inalcanzable, identificación del ser amado con la naturaleza y, ya en el extremo del impulso idealizador, divinización final de éste).   [161] *Gévora*: río extremeño, afluente del Guadiana.   [162] *risueña*: agradable, placentera.

¡Porque quiero mirarte, quiero verte,
y tengo que decirte que te amo!

   ¿Quién nos ha de mirar por estas vegas   25
como vengas[163] al pie de las encinas,
si no hay más que palomas campesinas
que están también con sus amores ciegas?

   Pero si quieres esperar la luna,
escondida estaré en la zarza-rosa,[164]   30
y si vienes con planta cautelosa,
no nos podrá sentir paloma alguna.

   Y no temas si alguna se despierta,
que si te logro ver, de gozo muero;
y aunque después lo cante al mundo entero,   35
¿qué han de decir los vivos de una muerta?

II

   Como lirio del sol descolorido
ya de tanto llorar tengo el semblante,
y cuando venga mi gallardo amante,
se pondrá al contemplarlo entristecido.   40

   Siempre en pos de mi amor voy por la tierra,
y creyendo encontrarle en las alturas,
con el naciente sol trepo a la sierra,
con la noche desciendo a las llanuras.

[163] *como vengas*: si vienes.   [164] *zarza-rosa*: especie de rosal silvestre.

Y hablo al hambriento lobo en mi camino,   45
y al toro que me mira y que me espera;
en vano grita el pobre campesino:
«No cruces por la noche la ribera».

En la sierra de rocas erizada,
del valle entre los árboles y flores,   50
en la ribera sola y apartada,
he esperado al amor de mis amores.

A cada instante lavo mis mejillas
del claro manantial en la corriente,
y le vuelvo a esperar más impaciente,   55
cruzando con afán las dos orillas.

A la gruta te llaman mis amores:
mira que ya se va la primavera
y se marchitan las lozanas flores
que traje para ti de la ribera.   60

Si estás entre las zarzas escondido
y por verme llorar no me respondes,
ya sabes que he llorado y he gemido,
y yo no sé, mi amor, por qué te escondes.

Tú pensarás, tal vez, que desdeñosa   65
por no enlazar mi mano con tu mano
huiré, si te me acercas, por el llano
y a los pastores llamaré medrosa.

Pero te engañas, porque yo te quiero
con delirio tan ciego y tan ardiente,   70

que un beso te iba a dar sobre la frente
cuando me dieras el adiós postrero.

III

Dejaba apenas la inocente cuna,
cuando una hermosa noche, en la pradera,
los juegos suspendí por ver la luna,   75
y en sus rayos te vi la vez primera.

Otra tarde después, cruzando el monte,
vi venir la tormenta de repente,
y por segunda vez, más vivamente
alumbró tu mirada el horizonte.   80

Quise luego embarcarme por el río,
y hallé que el son del agua que gemía
como la luz mi corazón hería
y dejaba temblando el pecho mío.

Me acordé de la luna y la centella,   85
y entonces conocí que eran iguales
lo que sentí escuchando a los raudales,
lo que sentí mirando a la luz bella.

Vago, sin forma, sin color, sin nombre,
espíritu de luz y agua formado,   90
tú de mi corazón eres amado
sin recordar en tu figura al hombre.

Ángel eres, tal vez, a quien no veo
ni lograré jamás ver en la tierra;
pero, sin verte, en tu existencia creo   95
y en adorarte mi placer se encierra.

Por eso entre los vientos bramadores
salgo a cantar por el desierto valle,
pues aunque en el desierto no te halle,
ya sé que escuchas mi canción de amores.   100

Y ¿quién sabe si al fin tu luz errante
desciende con el rayo de la luna,
y tan sola otra vez, tan sola una,
volveré a contemplar tu faz amante?

Mas, si no te he de ver, la selva dejo,   105
abandono por siempre estos lugares,
y peregrina voy hasta los mares,
a ver si te retratas en su espejo.

IV

He venido a escuchar los amadores
por ver si entre sus ecos logro oírte,   110
porque te quiero hablar para decirte
que eres siempre el amor de mis amores.

Tú ya sabes, mi bien, que yo te adoro
desde que tienen vida mis entrañas,
y vertiendo por ti mares de lloro,   115
me cansé de esperarte en las montañas.

La gruta que formé para el estío
la arrebató la ráfaga de octubre...
¿Qué he de hacer allí sola, al pie del río
que todo el valle con sus aguas cubre?   120

Y ¡oh Dios!, quién sabe si de ti me alejo
conforme el valle solitario huyo,
si no suena jamás un eco tuyo
ni brilla de tus ojos un reflejo.

Por la tierra, ¡ay de mí!, desconocida,   125
como el Gévora acaso arrebatada,
dejo mi bosque y a la mar airada,
a impulso de este amor, corro atrevida.

Mas si te encuentro a orilla de los mares,
cesaron para siempre mis temores,   130
porque puedo decirte en mis cantares
que tú eres el amor de mis amores.

V

Aquí tu barca está sobre la arena;
desierta miro la extensión marina;
te llamo sin cesar con tu bocina,[165]   135
y no pareces[166] a calmar mi pena.

---

[165] *bocina*: instrumento rústico (cuerno o caracola) para avisar en la distancia. [166] *pareces* (arcaísmo poético): apareces.

Aquí estoy en la barca, triste y sola,
aguardando a mi amado noche y día;
llega a mis pies la espuma de la ola
y huye otra vez, cual la esperanza mía.   140

¡Blanca y ligera espuma transparente,
ilusión, esperanza, desvarío:
como hielas mis pies con tu rocío,
el desencanto hiela nuestra mente!

Tampoco es en el mar adonde él mora: 145
ni en la tierra ni el mar mi amor existe.
¡Ay!, dime si en la tierra te escondiste
o si dentro del mar estás ahora.

Porque es mucho dolor que siempre ignores
que yo te quiero ver, que yo te llamo   150
sólo para decirte que te amo,
que eres siempre el amor de mis amores.

VI

Pero te llamo yo, dulce amor mío,
como si fueras tú mortal viviente,
cuando sólo eres luz, eres ambiente,[167]   155
eres aroma, eres vapor del río.

Eres la sombra de la nube errante,
eres el son del árbol que se mueve,
y aunque a adorarte el corazón se atreve,
tú sólo en la ilusión eres mi amante.   160

---

[167] *ambiente*: aire.

Hoy me engañas también como otras veces:
tú eres la imagen que el delirio crea,
fantasma del vapor que me rodea,
que con el fuego de mi aliento creces.

Mi amor, el tierno amor por el que lloro,   165
eres tan sólo Tú, señor Dios mío;
si te busco y te llamo es desvarío
de lo mucho que sufro y que te adoro.

Yo nunca te veré, porque no tienes
ser humano, ni forma, ni presencia;   170
yo siempre te amaré, porque en esencia
al alma mía como amante vienes.

Nunca en tu frente sellará mi boca
el beso que al ambiente le regalo;
siempre el suspiro que a tu amor exhalo   175
vendrá a quebrarse en la insensible roca.

Pero cansada de penar la vida,
cuando se apague el fuego del sentido,
por el amor tan puro que he tenido,
Tú me darás la gloria prometida.   180

Y entonces, al ceñir la eterna palma
que ciñen tus esposas en el cielo,
el beso celestial que darte anhelo
llena de gloria te dará mi alma.

GUSTAVO ADOLFO BÉCQUER

29

Rima XI[168]

—Yo soy ardiente, yo soy morena,
yo soy el símbolo de la pasión;
de ansia de goces mi alma está llena.
¿A mí me buscas?
          —No es a ti, no.   5

—Mi frente es pálida; mis trenzas, de oro;
puedo brindarte dichas sin fin;
yo de ternura guardo un tesoro.
¿A mí me llamas?
          —No, no es a ti.   10

—Yo soy un sueño, un imposible:
vano fantasma de niebla y luz;
soy incorpórea, soy intangible.[169]
No puedo amarte.
          —¡Oh, ven; ven tú!   15

---

[168] Tanto esta *rima* como la siguiente ilustran de manera admirable la contradicción básica sobre la que se mueve el idealismo amoroso del poeta romántico, siempre anhelante de alcanzar lo que la realidad niega a sus excesos imaginativos.   [169] *intangible*: intocable.

30

Rima XV

Cendal[170] flotante de leve bruma,
rizada cinta de blanca espuma,
    rumor sonoro
    de arpa de oro,
beso del aura, onda de luz: 5
    eso eres tú.
Tú, sombra aérea, que cuantas veces
voy a tocarte, te desvaneces
como la llama, como el sonido,
como la niebla, como el gemido   10
    del lago azul.

En mar sin playas onda sonante,
en el vacío cometa errante,
    largo lamento
    del ronco viento,   15
ansia perpetua de algo mejor:
    eso soy yo.

Yo, que a tus ojos, en mi agonía,
los ojos vuelvo de noche y día;
yo, que incansable corro y demente   20
¡tras una sombra, tras la hija ardiente
    de una visión!

---

[170] *cendal*: tela transparente.

31

Rima XLI

Tú eras el huracán, y yo la alta
torre que desafía su poder:
¡tenías que estrellarte o que abatirme!
    ¡No pudo ser!

Tú eras el Oceano, y yo la enhiesta   5
roca que firme aguarda su vaivén:
¡tenías que romperte o que arrancarme!
    ¡No pudo ser!

Hermosa tú, yo altivo; acostumbrados
uno a arrollar, el otro a no ceder;   10
la senda estrecha, inevitable el choque...
    ¡No pudo ser!

32

Rima XLVI

Me ha herido recatándose en las sombras,
sellando con un beso su traición.
Los brazos me echó al cuello, y por la espalda
partióme a sangre fría el corazón.

Y ella prosigue alegre su camino,   5
feliz, risueña, impávida; y ¿por qué?

Porque no brota sangre de la herida...
¡Porque el muerto está en pie!

33

Rima XLVIII

Como se arranca el hierro[171] de una herida,
su amor de las entrañas me arranqué,
aunque sentí al hacerlo que la vida
    me arrancaba con él.

Del altar que le alcé en el alma mía   5
la voluntad su imagen arrojó,
y la luz de la fe que en ella ardía
ante el ara[172] desierta se apagó.

Aún para combatir mi firme empeño
viene a mi mente su visión tenaz...   10
¡Cuándo podré dormir con ese sueño
    en que acaba el soñar!

34

Rima LIII

Volverán las oscuras golondrinas
en tu balcón sus nidos a colgar,

---

[171] *hierro* (metonimia): puñal.   [172] *ara*: altar.

110

y otra vez con el ala a sus cristales
    jugando llamarán;
pero aquellas que el vuelo refrenaban,   5
tu hermosura y mi dicha al contemplar,
aquellas que aprendieron nuestros nombres,
    ésas... ¡no volverán!

   Volverán las tupidas madreselvas[173]
de tu jardín las tapias a escalar,   10
y otra vez a la tarde, aún más hermosas,
    sus flores se abrirán;
pero aquellas cuajadas de rocío,
cuyas gotas mirábamos temblar
y caer, como lágrimas del día,   15
    esas... ¡no volverán!

   Volverán del amor en tus oídos
las palabras ardientes a sonar;
tu corazón de su profundo sueño
    tal vez despertará;   20
pero mudo y absorto y de rodillas,
como se adora a Dios ante su altar,
como yo te he querido..., desengáñate:
    ¡así no te querrán!

[173] *madreselvas*: plantas trepadoras.

LA PREOCUPACIÓN POLÍTICO-SOCIAL

Los males de la patria

DUQUE DE RIVAS

35

Oda[174]

Por las desiertas olas
en extraño[175] bajel, ¡tristes!, huyendo
de las amadas playas españolas
y del hado[176] tremendo
íbamos, desdichados,   5
en lágrimas y en penas anegados.

---

[174] Es una de las composiciones líricas escritas por Rivas durante su via-
je por mar a Londres, con el que se iniciaba para él un largo exilio —muy
fructífero, sin embargo, desde la perspectiva de su aprendizaje romántico—
motivado por la represión absolutista de Fernando VII contra los liberales.
Ya el título genérico del poema indica la vinculación aún neoclásica de éste,
que es, por otra parte, una adaptación libre y ampliada del salmo bíblico 137.
[175] *extraño*: extranjero.   [176] *hado*: destino.

El sol en Occidente
su vividora lumbre sumergía;
blando soplaba el amoroso ambiente,
    y apacible dormía   10
    la mar serena y pura
(no así, ¡oh Dios!, nuestros pechos sin ventura),

    cuando los marineros,
de los amargos ayes y gemidos
que dábamos al aura lastimeros   15
    tal vez compadecidos,
    consolarnos querían
y extranjeras palabras nos decían;

    y luego un laúd sonoro
con amorosa muestra nos trajeron,   20
y que, formando concertado coro,
    cantáramos, pidieron,
    tus himnos, Patria mía,
dulces y alegres cuando Dios quería.[177]

    Pero creciendo entonces   25
nuestras penas, el lloro redoblamos,
y tal dolor que a conmover los bronces
    bastara demostramos,
    y ayes profundos dimos,
y entre largos sollozos respondimos: 30

    «¿Cómo queréis que acierte
alguno de nosotros con el canto,

---

[177] El autor reproduce literalmente el segundo verso del Soneto X de Garcilaso de la Vega.

si nos condena la tremenda suerte
a sempiterno llanto?[178]
Y cuando no tenemos   35
Patria, ¿sus himnos entonar podremos?

«La sin ventura España
yace en horrenda esclavitud sumida,
de odiosos extranjeros a la saña
negramente vendida,   40
y presa de un tirano
que la destroza y que la oprime insano.

«Y el canto de victoria
con que su libertad y heroicos hechos
celebrábamos, ¡ay!, su nombre y gloria,   45
¿saldrá de nuestros pechos
cuando el destino airado
libertad, nombre y gloria le ha robado?»

¡Patria infelice mía!,
si mientras gimes de tiranos presa   50
puedo olvidar tus males sólo un día
y en él mi llanto cesa,
jamás logre el consuelo
de volver a mirar tu amado suelo.

Y si en región extraña   55
profanare mi labio las canciones
con que tu libertad, mísera España,
del sur a los Trïones[179]

---

[178] Nueva cita literal de un verso de Garcilaso (Égloga I).   [179] *los Triones*: constelación de la Osa Mayor, antiguamente identificada con un rebaño de siete bueyes, de donde procede el término *septentrión*: norte.

celebré en mejor hado,
tronador me fulmine el cielo airado.   60

Dolor y llanto y luto
es ya por siempre nuestra amarga suerte,
y sin patria y sin deudos, el tributo
daremos a la muerte,
siendo de ella despojos,   65
sin tener, ¡ay!, quien cierre nuestros ojos.

Gran Dios, que sabio riges
los orbes y con mano omnipotente
cuanto crïaste próvido diriges:
¿No ves al inocente   70
perseguido, aherrojado,[180]
y triunfante al inicuo y al malvado?

¡Ah!, compasivo mira
a la infelice Hesperia,[181] y justiciero
tiende tremendo el brazo de tu ira   75
sobre ese bando fiero
que tuyo, ¡oh horror!, se llama
y tu grandeza y tu bondad difama.

El rayo lanza y truena
contra los que profanan tu alto nombre   80
así, y con él se escudan, y en cadena
y error tienen al hombre,
por ti libre formado
y de razón por tu bondad dotado.

---

[180] *aherrojado*: encadenado.   [181] *Hesperia*: designación grecolatina de la Península Ibérica.

¡Ay!, para bien del mundo,   85
déspotas e impostores, Señor, hunde
para siempre jamás en el profundo,[182]
   y a la opresión confunde:
   tendrán los hombres luego
clara luz, larga paz, dulce sosiego.   90

   ¡Será! Y ¡oh venturosos
los que entonces, sirviendo a tu venganza,
de hipócritas, falaces y ambiciosos
   comiencen la matanza
   y enrojezcan sus manos   95
con sangre vil de pérfidos tiranos!

JOSÉ DE ESPRONCEDA

36

A la muerte de Torrijos y sus compañeros[183]

Helos allí: junto a la mar bravía
cadáveres están,[184] ¡ay!, los que fueron

---

[182] *profundo*: infierno.   [183] La agresividad política del soneto tiene como
referente histórico el fusilamiento —sin juicio previo— en Málaga (1831) del
mariscal Torrijos y de sus hombres, traicionados en su intento de provocar un
levantamiento liberal contra Fernando VII.   [184] El uso del verbo *estar* (proceso transitorio) distorsiona sin duda la naturalidad expresiva del verso. Sin
embargo, la presencia inmediata de verbo *ser* (proceso permanente), inclina a

honra del libre y con su muerte dieron
almas al cielo, a España nombradía.

Ansia de patria y libertad henchía   5
sus nobles pechos, que jamás temieron,
y las costas de Málaga los vieron
cual sol de gloria en desdichado día.

Españoles, llorad; mas vuestro llanto
lágrimas de dolor y sangre sean: 10
sangre que ahogue a siervos y opresores;

y los viles tiranos con espanto
siempre delante amenazando vean
alzarse sus espectros vengadores.

JOSÉ ZORRILLA
(1817-1892)

37

A España artística

Torpe, mezquina y miserable España,
cuyo suelo alfombrado de memorias

---

pensar en una oposición intencionada entre lo accidental (*cadáveres están*) y lo
perdurable (*fueron honra del libre*).

se va sorbiendo de sus propias glorias
lo poco que ha de cada ilustre hazaña:[185]

traidor y amigo sin pudor te engaña;   5
se compran tus tesoros con escorias;
tus monumentos, ¡ay!, y tus historias
vendidos llevan a la tierra extraña.

¡Maldita seas, patria de valientes,
que por premio te das a quien más pueda   10
por no mover los brazos indolentes!

Sí, venid, ¡voto a Dios! por lo que queda,
extranjeros rapaces, que insolentes
habéis hecho de España una almoneda.[186]

CAROLINA CORONADO

38

Libertad[187]

Risueños están los mozos,
gozosos están los viejos,

---

[185] Se alude metafóricamente a la indiferencia con que España contempla su pasado glorioso y permite la desaparición de su rico patrimonio artístico. [186] *almoneda*: venta en subasta pública. [187] El Romanticismo concedió a la mujer un lugar en la escena literaria que se le había negado durante siglos.

120

porque dicen, compañeras,
que hay libertad para el pueblo.

Todo es la turba cantares;   5
los campanarios, estruendo;
los balcones, luminarias;
y las plazuelas, festejos.

Gran novedad en las leyes
—que os juro que no comprendo—   10
ocurre, cuando a los hombres
en tal regocijo vemos.

Muchos bienes se preparan
—dicen los doctos— al reino.
Si en ello los hombres ganan,   15
yo por los hombres me alegro;

mas por nosotras, las hembras,
ni lo aplaudo ni lo siento,
pues aunque leyes se muden,
para nosotras no hay fueros.[188]   20

¡Libertad! ¿Qué nos importa?
¿Qué ganamos? ¿Qué tendremos?
¿Un encierro por tribuna
y una aguja por derecho?

Pero ello no fue un freno a su marginación social —como clase *pasiva*, carecía incluso del derecho al voto—, y así lo denuncia este alegato feminista de la autora española que con más contundencia trató el tema.   [188] *fueros*: derechos constitucionales.

¡Libertad! Pues ¿no es sarcasmo   25
el que nos hacen sangriento
con repetir ese grito
delante de nuestros hierros?[189]

¡Libertad! ¡Ay!, para el llanto
tuvímosla en todos tiempos: 30
con los déspotas, lloramos;
con tribunos,[190] lloraremos;

que humanos y generosos
estos hombres como aquellos,
a sancionar[191] nuestras penas   35
en todo siglo están prestos.

Los mozos están ufanos,
gozosos están los viejos:
igualdad hay en la patria,
libertad hay en el reino.   40

Pero os digo, compañeras,
que la ley es sola de ellos;
que las hembras no se cuentan
ni hay nación para su sexo.

Por eso, aunque los escucho,   45
ni lo aplaudo ni lo siento.
Si pierden, ¡Dios se lo pague!;
y si ganan, ¡buen provecho!

---

[189] *hierros*: cadenas.   [190] *tribunos*: representantes políticos del pueblo.
[191] *sancionar*: dar fuerza de ley.

ROSALÍA DE CASTRO

39

Era la última noche,
la noche de las tristes despedidas,
y apenas si una lágrima empañaba
        sus serenas pupilas.

Como el criado que deja   5
        al amo que le hostiga,[192]
arreglando su hatillo[193] murmuraba
casi con la emoción de la alegría:

«¿Llorar, por qué? Fortuna es que podamos
abandonar nuestras humildes tierras.   10
El duro pan que nos negó la patria,
por más que los extraños nos maltraten,
no ha de faltarnos en la patria ajena.»

Y los hijos contentos se sonríen,
y la esposa, aunque triste, se consuela   15
        con la firme esperanza
de que el que parte ha de volver por ella.

---

[192] *hostiga*: maltrata.   [193] *hatillo*: envoltorio con lo más necesario. El tema de la emigración y la injusticia social que ésta supone alcanzan especial relevancia en los dos libros en gallego de la autora: *Cantares galegos* y *Follas novas*.

Pensar que han de partir: ése es el sueño
que da fuerza en su angustia a los que quedan.
¡Cuánto en ti pueden padecer, oh patria,   20
si ya tus hijos sin dolor te dejan!

El rechazo de las normas sociales

JOSÉ DE ESPRONCEDA

40

Canción del pirata[194]

Con diez cañones por banda,
viento en popa, a toda vela,
no corta el mar, sino vuela
un velero bergantín:[195]
bajel pirata que llaman   5

---

[194] La enorme popularidad de este poema, cuyo inicio al menos perma-
nece en la memoria de sucesivas generaciones de estudiantes, distorsiona
con frecuencia su enfoque crítico, impidiendo apreciar en la medida justa su
cuidado desarrollo estructural, su precisión expresiva y su asombrosa agili-
dad métrico-rítmica. Todo ello al margen de que constituya un verdadero
manifiesto de la ideología y la sensibilidad románticas.   [195] *bergantín*: barco
de vela con dos mástiles. El término *velero* es, pues, aquí adjetivo, frente a su
empleo sustantivado en el resto de la composición.

por su bravura el *Temido*,
en todo el mar conocido
del uno al otro confín.

La luna en el mar rïela,
en la lona[196] gime el viento,   10
y alza en blando movimiento
olas de plata y azul;
y ve el capitán pirata,
cantando alegre en la popa,
Asia a un lado, al otro Europa,   15
y allá a su frente Estambul.[197]

«Navega, velero mío,
    sin temor,
que ni enemigo navío,
ni tormenta, ni bonanza   20
tu rumbo a torcer alcanza,
ni a sujetar tu valor.

    Veinte presas
    hemos hecho
    a despecho   25
    del inglés,
    y han rendido
    sus pendones
    cien naciones
    a mis pies.   30

---

[196] *lona* (metonimia): vela.   [197] *Estambul*: ciudad turca (antigua Constantinopla), capital del imperio otomano.

Que es mi barco mi tesoro,
que es mi Dios la libertad;
mi ley, la fuerza y el viento;
mi única patria, la mar.

Allá muevan feroz guerra   35
    ciegos reyes
por un palmo más de tierra,
que yo tengo aquí por mío
cuanto abarca el mar bravío,
a quien nadie impuso leyes.   40

    Y no hay playa,
    sea cualquiera,
    ni bandera
    de esplendor
    que no sienta   45
    mi derecho
    y dé pecho[198]
    a mi valor.

Que es mi barco mi tesoro,
que es mi Dios, la libertad;   50
mi ley, la fuerza y el viento;
mi única patria, la mar.

A la voz de "¡barco viene!"
    es de ver
cómo vira[199] y se previene   55

[198] *dé pecho*: pague tributo.   [199] *vira*: cambia de rumbo.

a todo trapo[200] a escapar;
que yo soy el rey del mar,
y mi furia es de temer.

En las presas
yo divido   60
lo cogido
por igual:
sólo quiero
por riqueza
la belleza   65
sin rival.

Que es mi barco mi tesoro,
que es mi Dios la libertad;
mi ley, la fuerza y el viento;
mi única patria, la mar.   70

¡Sentenciado estoy a muerte!:
    yo me río.
No me abandone la suerte,
y al mismo que me condena
colgaré de alguna entena,[201]   75
quizá en su propio navío.

Y si caigo,
¿qué es la vida?
Por perdida

---

[200] *a todo trapo*: a toda vela (es decir, a gran velocidad).   [201] *entena*: palo
que sostiene la vela mayor.

ya la di   80
cuando el yugo
del esclavo
como un bravo
sacudí.[202]

Que es mi barco mi tesoro,   85
que es mi Dios la libertad;
mi ley, la fuerza y el viento;
mi única patria, la mar.

Son mi música mejor
    aquilones: 90
el estrépito y temblor
de los cables sacudidos,
del negro mar los bramidos
y el rugir de mis cañones.

    Y del trueno   95
al son violento
y del viento
al rebramar,
yo me duermo
sosegado,   100
arrullado
por el mar.

Que es mi barco mi tesoro,
que es mi Dios la libertad;

---

[202] La tan sugerente como vaga alusión biográfica del protagonista pone
a éste en relación con el característico personaje romántico de orígenes miste-
riosos, particularmente requerido por el teatro y la novela de la época.

mi ley, la fuerza y el viento;   105
mi única patria, la mar.»

41

El mendigo[203]

Mío es el mundo: como el aire libre,
otros trabajan porque coma yo;
todos se ablandan si doliente pido
una limosna por amor de Dios.

    El palacio, la cabaña   5
son mi asilo,
si del ábrego[204] el furor
troncha el roble en la montaña,
o que inunda la campaña
el torrente asolador.   10

    Y a la hoguera
me hacen lado
los pastores
con amor;
y sin pena   15
y descuidado,
de su cena

---

[203] Aunque el protagonista ahora no es un perseguido de la ley como el pirata ni asume en absoluto los altos ideales de éste, coincide con él en su despreciativa visión de una organización social en la que sus ansias de libertad no tienen cabida y de la que, en este caso, el personaje decide aprovecharse cínicamente.   [204] *ábrego*: viento del sur, anunciador de lluvias.

ceno yo.
O en la rica
chimenea   20
que recrea[205]
con su olor
me regalo[206]
codicioso
del banquete   25
suntuoso
con las sobras
de un señor.

　Y me digo: el viento brama,
caiga furioso turbión;[207]   30
que al son que cruje de la seca leña,
libre me duermo sin rencor ni amor.

　Mío es el mundo: como el aire libre,
otros trabajan porque coma yo;
todos se ablandan si doliente pido   35
una limosna por amor de Dios.

　Todos son mis bienhechores,
　　y por todos
a Dios ruego con fervor;
de villanos y señores   40
yo recibo los favores
sin estima y sin amor.

[205] *recrea* (arcaísmo): restablece, restituye las fuerzas.   [206] *me regalo*: me
aprovecho.   [207] *turbión*: aguacero con viento fuerte.

Ni pregunto
quienes sean
ni me obligo   45
a agradecer,
que mis rezos
si desean
dar limosna
es un deber.   50
Y es pecado
la riqueza;
la pobreza,
santidad.
Dios a veces   55
es mendigo,
y al avaro
da castigo
que le niegue
caridad.   60

Yo soy pobre, y se lastiman[208]
todos al verme plañir,
sin ver son mías sus riquezas todas,
que mina inagotable es el pedir.

Mío es el mundo: como el aire libre,   65
otros trabajan porque coma yo;
todos se ablandan si doliente pido
una limosna por amor de Dios.

[208] *se lastiman*: se compadecen.

Mal revuelto y andrajoso,
   entre harapos   70
del lujo sátira soy,
y con mi aspecto asqueroso
me vengo del poderoso,
y adonde va, tras él voy.

     Y a la hermosa   75
     que respira[209]
     cien perfumes,
     gala, amor,
     la persigo
     hasta que mira,   80
     y me gozo
     cuando aspira
     mi punzante
     mal olor.
     Y las fiestas   85
     y el contento
     con mi acento
     turbo yo,
     y en la bulla
     y la alegría   90
     interrumpen
     la armonía
     mis harapos
     y mi voz,

   mostrando cuán cerca habitan   95
   el gozo y el padecer,

[209] *respira*: exhala.

que no hay placer sin lágrimas, ni pena
que no transpire en medio del placer.

    Mío es el mundo: como el aire libre,
otros trabajan porque coma yo;   100
todos se ablandan si doliente pido
una limosna por amor de Dios.

    Y para mí no hay *mañana*
        ni hay *ayer*;
olvido el bien como el mal;   105
nada me aflige ni afana:
me es igual para mañana
un palacio, un hospital.

        Vivo ajeno
        de memorias;   110
        de cuidados
        libre estoy.
        Busquen otros
        oro y glorias;
        yo no pienso   115
        sino en hoy.
        Y doquiera
        vayan leyes,
        quiten reyes,
        reyes den;   120
        yo soy pobre,
        y al mendigo,
        por el miedo
        del castigo,

todos hacen   125
siempre bien.

Y un asilo donde quiera
y un lecho en el hospital
siempre hallaré, y un hoyo donde caiga
mi cuerpo miserable al expirar.   130

Mío es el mundo: como el aire libre,
otros trabajan por que coma yo;
todos se ablandan si doliente pido
una limosna por amor de Dios.

JOSÉ ZORRILLA

42

El contrabandista[210]

Subiendo la negra roca
de embarazosa[211] montaña,
contrabandista español

---

[210] La influencia de la «Canción del pirata» en la lírica romántica posterior se aprecia fácilmente en esta composición, que, sin embargo, dista de recoger la amplitud significativa del poema de Espronceda, limitándose a recrear una anécdota de orientación fuertemente nacionalista.   [211] *embarazosa*: dificultosa.

bridón[212] andaluz cabalga.
Lleva el trabuco a su lado,   5
el cuchillo entre la faja,
y con el humo del puro
su voz varonil levanta:

«Que brame en la peña el viento,
que se arda el monte vecino,   10
que rompa el enhiesto pino
el aquilón vïolento:
yo desprecio sus furores;
y aquí solo, sin señores,
de pesadumbres ajeno,   15
oigo el huracán sereno[213]
y canto al crujir del trueno
    mis amores.

«El albor de la mañana
en sus matices de rosa   20
me trae la imagen graciosa
de mi maja[214] sevillana,
y en sus variados colores
me pinta las lindas flores
del suelo donde nací,   25
donde inocente reí,
donde primero sentí
    mis amores.

---

[212] *bridón*: caballo brioso.   [213] Entiéndase «oigo sereno cómo ruge el huracán».   [214] *maja*: mujer de extracción popular que procura mostrarse distinguida y elegante.

«Cuando la enemiga bala
chilla medrosa a mi oído,   30
ya mi contrario caído
el alma rabioso exhala.
¡Qué me importan vengadores
cien fusiles matadores
que amenacen mi cabeza!   35
Con mi *Moro*[215] y mi destreza
yo les canto en la maleza
    mis amores.

«Sienta yo el pujante brío
del galope de mi *Moro*   40
y el trabucazo sonoro
de algún compañero mío,
y que vengan triunfadores
los caballeros mejores
que empuñaron lanza o freno.   45
Yo, de temerles ajeno,
cantaré libre y sereno
    mis amores.»

Tranquilo el contrabandista
aquí del canto llegaba,   50
cuando un acento francés:
«¡Fuego!», a su lado gritaba.
Sobre su frente pasaron
con rudo silbar las balas,
y gendarmes[216] le acometen   55

[215] *Moro*: nombre que ha puesto el contrabandista a su caballo.   [216] *gendarmes*: soldados franceses.

diciendo: «¡Ríndete a Francia!»
Y entonces él: «No se rinden
los que nacen en España.»
Y contra el jefe enemigo
su ancho trabuco descarga.   60
Cayeron dos, como arbusto
que el cierzo en pos arrebata.
En impetuosa carrera
el bruto[217] gallardo arranca;
y por sobre los peñascos   65
que en rápida fuga salva,
cantando va el español
al trasponer la montaña:
«Vivir en los Pirineos,
pero morir en Granada.»   70

---

[217] *bruto*: animal (es decir, el caballo).

LAS EVOCACIONES DEL PASADO

Los ambientes exóticos

JUAN AROLAS

43

El harén

Rodeada de jardines,
bella es la región de rosa
    do reposa
sobre pérsico tapiz
el sultán rico de gomas[218]   5
    y de aromas,
dones de Arabia feliz.

---

[218] La goma arábiga (sustancia obtenida de ciertos árboles que abundan en Arabia) es desde antiguo un producto muy solicitado a su país de origen para diversos usos industriales.

Con el opio de Tebaida[219]
se adormece y sueña fuentes
    transparentes   10
en las grutas de cristal;
sueña cielos de rubíes
    con huríes
de juventud inmortal;

y al volver de aquellos sueños   15
de armonías y de estrellas,
    ve a sus bellas
que esperan, por un favor
y premio de la hermosura,
    la dulzura   20
del primer beso de amor:

crïaturas inocentes,
gayas flores que atavía
    sol de un día,
que dan dolor y solaz:[220]   25
solaz por ser frescas flores,
    y dolores
por su existencia fugaz;

ninfas con oro y con perlas,
con la sonrisa en el labio   30
    y el agravio
clavado en el corazón;
que en mujer que tiene celos

---

[219] *Tebaida*: región de Egipto.   [220] *solaz*: descanso, placer.

luto y duelos
las perlas nítidas son.   35

Si agitan sus blancos velos
las huríes de Mahoma,
    blando aroma
muda el jardín en Edén,
cual si transitase ufana   40
    caravana
con almizcle de Khotén.[221]

Bello es ver adusto moro
dueño de un vergel cerrado
    y acatado   45
como el único señor,
servido de mil doncellas,
    hadas bellas
del oriente y del amor.

¡Y aquella trémula sombra   50
del plátano en el estío,
    y el desvío
de una hermosa del harén
que a las solitarias flores
    los dolores   55
va contando de un desdén!

¡Y el rayo de tibia luna
que ilumina las caricias

---

[221] *almizcle*: sustancia aromática segregada por el almizclero, mamífero rumiante de procedencia asiática. *Khotén*: posiblemente Jotan, ciudad del Turquestán (Asia central), que fue en otros tiempos un activo centro comercial.

y delicias
de una griega y su señor,   60
mientras tras la celosía[222]
    los espía
ninfa que envidió el favor!

    ¡Y aquel oro y esmeraldas
de ajorcas[223] y de collares,   65
    y millares
de esclavos para el sultán
que abanican blandamente
    la su frente
con la pluma del faisán!   70

    ¡Y aquellas pipas muy largas,
con sus tubos muy dorados;
    los brocados,
joyas y aromas sin fin;
y mil aves enjauladas   75
    en labradas
maderas de Comorín![224]

    ¡Ver cuál mueven leves plantas
al son de las bandolinas[225]
    bailarinas   80
diestras en vario primor
que de sus faldas graciosas

---

[222] *celosía*: ventana enrejada que permite mirar sin ser visto. [223] *ajorcas*: argollas de metal empleadas como adorno. [224] *Comorín*: cabo del sur de la India. [225] *bandolinas*: instrumentos musicales de cuerda, parecidos al laúd.

vierten rosas
sobre el dueño de su amor!

Allí las griegas suspiran;   85
allí las del India moran:
    las que adoran
a Brahma[226] como gran ser;
otras del Cairo escogidas
    y nacidas   90
para el canto y el placer.

Las persianas,[227] cuyos ojos
tienen el azul del cielo;
    las del suelo
de Mingrelia y de Khatay:[228]   95
doncellas muy sonrosadas
    y preciadas
de Azab y de Yemen hay.[229]

Las más niñas, cuyos años
no turbaron los amores,   100
    cogen flores
y escuchan al ruiseñor;
que otras viven de privanza[230]
    o esperanza,
y ellas viven del candor.   105

---

[226] *Brahma*: divinidad hindú.   [227] *persianas*: persas.   [228] *Mingrelia*: país transcaucásico, en la Rusia asiática. *Khatay*: nombre medieval de China. [229] *Azab*: posiblemente Az Zab, región perteneciente al actual Irak. *Yemen*: país situado al sur de la península arábiga.   [230] *privanza*: lugar preferente en el afecto o la confianza de un gran señor.

Bello es un harén de oriente,
con tan lindos serafines
en jardines
consagrados al placer;
sólo es triste a la memoria
que en tal gloria
sea esclava la mujer.

SALVADOR BERMÚDEZ DE CASTRO
(1817-1883)

44

El árabe

¡Qué gallarda levanta su follaje
la palma solitaria de Elb-keddí[231]
cuando penetra el sol por su ramaje,
lanzando a plomo su calor allí!

El firmamento en púrpura se inflama   5
con los rayos que arrastra el huracán,

[231] El poema presenta algún que otro topónimo de identificación problemática. Puede deberse a razones de transcripción fonética, pero tampoco
resultaría extraño que se tratase de nombres inventados por el autor. En cualquier caso, los versos posteriores dejan claro cuál es el escenario en que se desarrolla la composición: el Egipto musulmán y, más concretamente, un paraje
cercano a El Cairo.

y está ardiendo la arena cual la llama
que se eleva del cráter de un volcán.

En alas del simún[232] veloz se arroja
torbellino de arena abrasador,   10
y refleja al través, flotante y roja,
la luz del sol su ardiente resplandor.

Entre arena que baña resonando
de alguna antigua Esfinge[233] el roto pie,
el árabe corcel va galopando: 15
El Cairo al lejos relumbrar se ve.

«Sigue así, fiero alazano;[234]
alza tu frente serena,
que ya el desierto de arena
se ostenta en su majestad.   20
Ya estamos solos; tu brío
sacuda el plácido sueño.
¡Respira como tu dueño
el aura de libertad!

«El palacio entre sus muros   25
no me ofrece independencia.
¿Qué me hiciera su opulencia,
cuando vivo libre aquí?
¿Quién por el mar no dejara

---

[232] *simún*: viento ardiente del desierto.   [233] *Esfinge*: monstruo mitológico con cabeza humana y cuerpo de león, cuyas representaciones artísticas
más famosas se hallan en Egipto.   [234] *alazano* (o *alazán*): caballo de color
canela.

la fuente mísera y fría,   30
o el rosal de Alejandría[235]
por la palma del Zaeddí?

«El murmullo entre las flores
no escucho aquí de la brisa,
ni la plácida sonrisa   35
de pacífico raudal;[236]
pero corre ronco el viento,
sin parar su vuelo un monte;
pero miro un horizonte
de topacio y de coral.   40

«El sol detiene su giro
por contemplarme; navego
por un piélago[237] de fuego
sobre mi hermoso alazán.
Él no borra en su carrera   45
la huella de paso humano,
que yo reino soberano
donde reina el huracán.

«Dios a los hijos de Europa
dio ciudades y jardines,   50
y entre danzas y festines
los hizo esclavos allí.
"¡Trabaja!", dijo al cristiano;
pero al árabe indolente:

---

[235] *Alejandría*: ciudad egipcia. [236] *raudal*: corriente caudalosa de agua.
[237] *piélago*: alta mar (por extensión significativa, inmensidad).

"Sé tú libre, independiente: 55
el desierto es para ti."

«Cuando la luz de la aurora
el horizonte ilumina,
tercio mi fiel carabina
sobre mi ardiente corcel;   60
y a la sombra de una Esfinge
de las tumbas de los reyes,
doy soberano mis leyes
al creyente y al infiel.[238]

«¡Espacio sin fin, inmenso: 65
mi primera, dulce cuna;
bello si el sol, si la luna
refleja su luz en ti!
¿Qué me importa entre jardines
un sueño de vida incierto?   70
Quiero habitar el desierto,
quiero morir do nací:

«donde el pecho de una hermosa
al nazareno[239] arrancado
palpita tierno a mi lado   75
sin terror y sin desdén;
y de mil bellas esclavas
los halagos y caricias

[238] *infiel*: quien no profesa la religión tenida por verdadera. En la literatura española el término suele aparecer lexicalizado como sinónimo de musulmán (compruébese algunos versos después). En boca del personaje su significado es, naturalmente, el opuesto (cristiano).   [239] *nazareno*: cristiano.

van a colmar de delicias
la soledad de mi harén.   80

   «Sobre el camello indolente,
cargado de plata y oro,
se acerca doblado el moro
de codicia y de calor;
entre mantas y cojines   85
muellemente[240] recostado,
el nazareno espantado
siente venir su señor.

   «La cristiana de ojos negros,
cual la palma deliciosa;   90
la georgiana[241] pura, hermosa,
del profeta bella hurí;
para mí todo: las perlas,
el sándalo,[242] chales, velos...
Alá me grita en los cielos: 95
todo, todo es para ti.»

   Y en un cielo de nácar el sol brilla:
a plomo lanza su radiante luz.
Corre el infiel sobre la blanda silla,
medio envuelto en su cándido burnuz.[243]   100

   Y soltando las riendas relumbrantes
y apretando en su mano el yatagán,[244]

---

[240] *muellemente*: comodamente.   [241] *georgiana*: natural de Georgia (país transcaucásico —hoy república independiente— próximo a Turquía.)   [242] *sándalo*: madera aromática.   [243] *burnuz*: albornoz.   [244] *yatagán*: sable oriental.

corre el infiel; que pronto los turbantes
de su tribu a lo lejos brillarán.

De ambición y de amor su mente llena   105
del botín y las hijas de Ismael,[245]
corre el infiel envuelto entre la arena
que levanta el galope del corcel.

JOSÉ ZORRILLA

45

Oriental[246]

Corriendo van por la vega
a las puertas de Granada
hasta cuarenta gomeles[247]
y el capitán que los manda.

Al entrar en la ciudad,   5
parando su yegua blanca,
le dijo éste a una mujer
que entre sus brazos lloraba:

---

[245] *Ismael*: personaje bíblico del que desciende la raza árabe.   [246] El poema —uno de los más populares de su autor— constituye uno de los mejores y últimos ejemplos de *romance morisco*, género tan cultivado por los poetas españoles de los Siglos de Oro.   [247] *gomeles*: árabes de tribu berberisca.

«Enjuga el llanto, cristiana;
no me atormentes así;   10
que tengo yo, mi sultana,
un nuevo Edén para ti.

«Tengo un palacio en Granada,
tengo jardines y flores,
tengo una fuente dorada   15
con más de cien surtidores;

«y en la vega del Genil
tengo parda fortaleza,
que será reina entre mil
cuando encierre tu belleza;   20

«y sobre toda una orilla
extiendo mi señorío;
ni en Córdoba ni en Sevilla
hay un parque como el mío.

«Allí la altiva palmera   25
y el encendido granado,
junto a la frondosa higuera,
cubren el valle y collado;

«allí el robusto nogal,
allí el nópalo[248] amarillo,   30
allí el sombrío moral
crecen al pie del castillo.

---

[248] *nópalo*: chumbera.

«Y olmos tengo en mi alameda
que hasta el cielo se levantan,
y en redes de plata y seda   35
tengo pájaros que cantan.

«Sultana serás si quieres,
que, desiertos mis salones,
está mi harén sin mujeres,
mis oídos sin canciones.   40

«Yo te daré terciopelos
y perfumes orientales;
de Grecia te traeré velos
y de Cachemira,[249] chales.

«Yo te daré blancas plumas   45
para que adornes tu frente:
más blancas que las espumas
de nuestros mares de Oriente;

«y perlas para el cabello,
y baños para el calor,   50
y collares para el cuello;
para los labios... ¡amor!»

«¿Qué me valen tus riquezas
—respondióle la cristiana—,
si me quitas a mi padre,   55
mis amigos y mis damas?

[249] *Cachemira*: región asiática en el Himalaya, hoy dividida entre India y Pakistán.

«Vuélveme, vuélveme, moro,
a mi padre y a mi patria,
que mis torres de León
valen más que tu Granada.»   60

Escuchóla en paz el moro,
y manoseando su barba,
dijo, como quien medita
(en la mejilla, una lágrima):

«Si tus castillos mejores   65
que nuestros jardines son,
y son más bellas tus flores,
por ser tuyas, en León,

«y tú diste tus amores
a alguno de tus guerreros,   70
hurí del Edén, no llores:
vete con tus caballeros.»

Y dándola su caballo
y la mitad de su guardia,
el capitán de los moros   75
volvió en silencio la espalda.

José Zorrilla.
Grabado de B. Maura
(1881)

José de Espronceda.
Grabado para la edición de *El diablo mundo*, de J. Boix
(1841)

Los asuntos histórico-legendarios

PATRICIO DE LA ESCOSURA
(1807-1878)

46

El bulto vestido de negro capuz[250]

I

El caminante

El sol a occidente su luz ocultaba,
de nubes el cielo cubierto se vía;

[250] Esta leyenda tiene como trasfondo histórico la sublevación comunera contra Carlos I. Tras la derrota de los castellanos en Villalar (1521), fue ajusticiado, entre otros, su principal dirigente: Juan Padilla. Pero quedaron focos de resistencia, como el mantenido por Antonio Osorio de Acuña, obispo de Zamora, preso finalmente y ejecutado en Simancas (Valladolid) junto a los últimos cabecillas de la revuelta. La anécdota histórica brindaba al autor la posibilidad de expresar su radicalismo antimonárquico (parte II) y, a la vez, le

furioso en los pinos el viento bramaba,
rugiendo agitado Pisuerga corría.

Soberbia Simancas sus muros ostenta,   5
burlando la saña del fiero huracán.
Mas ¡ay del cautivo que mísero cuenta
las horas de vida por siglos de afán!

Por medio del monte, veloz cual la brisa,
cual sombra medrosa, cual rápida luz,   10
un bulto que apenas la vista divisa
camina encubierto con negro capuz.[251]

Mudado el semblante, la vista azorada,
sollozos amargos lanzando sin fin,
la Madre invocando de Dios adorada,   15
de hinojos se postra del río al confín.

Del ave nocturna la voz agorera[252]
de encima el castillo se deja escuchar;
relámpago rojo, con luz pasajera,
las densas tinieblas haciendo cesar.   20

«¡Dichoso mil veces! —el mísero exclama—.
¡Dichoso, murallas, que en fin os miré!»

---

servía de pretexto para hacer el alarde de lobreguez, violencia y efectismo románticos de los que el poema es un perfecto muestrario.   [251] La aparición sobre un fondo tempestuoso del desconocido envuelto en un *capuz* (vestidura de luto larga y con capucha) no sólo produce el impacto visual deseado, sino que anuncia ya la condición misteriosa que mantendrá el personaje hasta la revelación final.   [252] Véase nota 81.

Y al punto, inflamado de súbita llama,
el rezo dejando, se pone de pie.

II

La prisión

«Muchos, repetidos, muy graves pecados   25
los hombres hicieron, y Dios se enojó;
en pena, de libres que fueron creados,
esclavos los hizo, tiranos les dio.

«¡Tiranos!: con ellos, cadenas, prisiones,
castillos y guerras y el potro[253] crüel.   30
¡Tiranos!: con ellos, rencor, disensiones...
¡Tremenda es la ira del Dios de Israel!

«Castilla, hijo mío, sintió el torpe yugo,
y a fuer de[254] briosa lo quiso arrojar.
En vano: ayudarnos al cielo no plugo: 35
Padilla el valiente cayó en Villalar.

«Nosotros, Alfonso, también moriremos;
también nuestra sangre vertida será.
¡Qué importa! Muriendo, felices rompemos
las férreas cadenas que el mundo nos da.»   40

Acuña, el obispo, patriota esforzado,
aquel que al tirano no quiso acatar,

---

[253] *potro*: instrumento de tortura.   [254] *a fuer de*: en virtud de, a manera de.

el cuerpo de indignas cadenas cargado,
cual cumple a los libres acaba de hablar.

En pie, silencioso, con aire abatido,   45
mancebo que apenas seis lustros cumplió
le escucha, y responde con hondo gemido,
que el eco en la torre fugaz repitió.

«¡Tan bravo en las lides —Acuña le dice—;
tan bravo, y cobarde tembláis al morir...!»   50
«Teneos,[255] obispo; muriendo es felice
quien sólo en cadenas espera vivir.

«Morir es más dulce que ver, como he visto,
caer a Padilla y a cientos con él.   55
Yo burlo la muerte, mas, ¡ay!, no resisto
de amor a los otros, ¡fortuna crüel!»

Oyóle el obispo con pena y callóse;
maguer que[256] ordenado, tiene corazón:
lágrima furtiva al ojo asomóse;   60
el joven su mano besó con pasión.

III

El soldado

La noche era entrada, lluviosa y oscura;
un trueno a otro trueno contino[257] seguía.

---

[255] *Teneos* (arcaísmo): deteneos.   [256] *maguer que* (arcaísmo): aunque.
[257] *contino* (arcaísmo): continuamente. La reiterada presencia del recurso

Velando, cubierto de fuerte armadura,
la noche,[258] un soldado feroz maldecía.　　　　65

El puente guardaba, la puerta y rastrillo,[259]
con fuego y espada y agudo puñal:
ninguno a llegarse se atreva al castillo,
o tema aquel brazo probar en su mal.

Con planta ligera el puente atraviesa　　　　70
el bulto vestido del negro capuz.
«¡Detente!» el soldado gritándole apriesa,
le pone a los pechos su enorme arcabuz.[260]

Mas él sin turbarse: «Soldado —replica—,
¿qué gloria matando pensáis conseguir　　　　75
a un mozo perdido que asilo suplica
do pueda esta noche tan sola dormir?»

«Mancebo, ¿quién eres?» «Un huérfano soy;
guardián del castillo, yo soy trovador.»
«Tal casta de gentes de sobra anda hoy;　　　　80
¡marchad noramala,[261] maldito cantor!»

Lloraba el mancebo: dolor era oílle;
votaba[262] el soldado que hacía temblar.

---

obliga a eludir la anotación particularizada en los casos de evidencia significativa: *apriesa* (deprisa), *oílle* (oírle), *aqueste* (este), etc.　[258] *velando... la noche*:
haciendo guardia nocturna.　[259] *rastrillo*: portón enrejado que defiende la
entrada de las fortalezas.　[260] *arcabuz*: antigua arma de fuego.　[261] *noramala*
(arcaísmo): en hora mala (expresión empleada para manifestar desagrado).
[262] *votaba*: profería juramentos.

El uno: «¡Doleos!», tornaba a decille;
el otro: «¡Demonio!, ¿te quieres marchar?»   85

En tanto, a torrentes el cielo llovía,
y un rayo no lejos del puente cayó.
Invoca el soldado temblando a María;
inerte a sus plantas al huérfano vio.

«¡Mal hora los diablos aquí te trajeron!...   90
Apenas respira... ¡Cuitado rapaz!
Muy tierna crïanza tus padres te dieron:
más horas tuviste que yo de solaz.»

IV

La trova

En sucio y estrecho paraje y oscuro,
ardiendo en el centro su medio pinar,   95
sentados en torno del fétido muro
como diez soldados se pueden contar.

Un hombre con ellos de pardo vestido,
hercúleas las formas, de rostro brutal,
los ojos de tigre, mirando torcido,   100
parece ministro del genio del mal.

Al par de aquel hombre se ve suspirando
el rostro de un niño, de un ángel de luz:
verdugo, el primero que estamos mirando;
el otro es el bulto del negro capuz.   105

«¡Que cante, que cante!», le mandan a coro
las férreas figuras que en torno se ven.
Lanzando un bramido terrible, cual toro:
«¡Que cante!», el verdugo repite también.

Quisiera el mancebo primero que al canto   110
dar rienda a la pena, que muere de afán;
mas fuerza le manda, y enjuga su llanto,
y canta, y de muerte sus cantos serán.

V

Trova

«En medio un monte fragoso,[263]
entre encinas colosales   115
    de años ciento,
templo antiguo ya ruinoso,
cercado de matorrales
tiene asiento.

«La torre, que, cuando entera,   120
soberbia al cielo se alzaba,
    derrüida:[264]

---

[263] *fragoso*: abrupto, de difícil acceso. El canto del personaje va a recrear el típico paraje romántico presidido por las ruinas, símbolo tradicional del poder destructor del tiempo, pero ahora también del triunfo final de la naturaleza sobre las realizaciones humanas, según quedó apuntado en la introducción.   [264] La composición presenta frecuentes elipsis verbales. Nótense las que afectan a estos versos: «La torre, que, cuando (estaba) entera, se alzaba soberbia al cielo, (yace) derruida.»

ave nocturna agorera
do la campana sonaba
   sólo anida.   125

  «Crecen el musgo y la hiedra
en lugar de los tapices
   recamados[265]
con que los muros de piedra
fueron tiempos más felices   130
   adornados.

  «Porque, el templo y la cabaña,
todo el tiempo lo destruye
   fácilmente;
y piensa burlar su saña,   135
quien le espera y quien le huye,
   vanamente.

  «Un altar sólo se vía
en capilla retirada,
   tenebrosa: 140
en él, la Virgen María,
de dolores traspasada,
   lacrimosa.

  «De una lámpara de hierro
la dudosa[266] llama inquieta   145
   mustia brilla;
seguido sólo de un perro

---

[265] *recamados*: bordados en realce.   [266] *dudosa*: vacilante.

recorre un anacoreta[267]
   la capilla;

«y su sombra, que refleja   150
en la altísima techumbre
   de la ruina,
fantasma fiera[268] semeja
mirada a la escasa lumbre
   que ilumina.   155

«Ve el solitario...»

Aquí con su canto llegaba el mancebo:
un fraile que pasa le manda callar:
«¿Cantáis, y no lejos tenéis al que debo
por la vez postrera, triste, confesar?»   160

El fraile acabando siguió su camino;
callóse el mancebo, y el tigre[269] exclamó:
«Razón tiene el padre; sin ser adivino,
estoy persuadido de lo mismo yo.»

«Cualquiera al mirarte —responde un soldado— 165
llegar a Simancas pensara algún mal.»
«¡Un mal! Por mi vida, Fortún, que has errado:
mañana a mis manos muere un desleal:

«Alfonso García, famoso caudillo
que de comuneros en Toledo fue,   170

[267] *anacoreta*: ermitaño. [268] Aunque muy infrecuente en la actualidad, el término *fantasma* admite uso en femenino. [269] Es decir, el verdugo.

mañana en los filos de aqueste cuchillo
por sus buenas obras hallará mercé.»[270]

«¿Mañana le matan? —con ansia pregunta...—
¡Mañana! —...el que el canto festivo entonó—.
¡Mañana! ¡Es posible! ¡Y el alba despunta!...   175
Verdad es: entonces hoy mismo murió.»

VI

El beso

Levantan en medio de patio espacioso
cadalso enlutado que causa pavor:
un Cristo, dos velas, un tajo[271] asqueroso
encima, y con ellos, el ejecutor.   180

En torno al cadalso se ven los soldados,
que fieros empuñan terrible arcabuz,
a par del verdugo mirando asombrados
al bulto vestido del negro capuz.

«¿Qué tiemblas, muchacho? ¡Cobarde alimaña!   185
Bien puedes marcharte, y presto, a mi fe.
Te faltan las fuerzas si sobra la saña.
¡Por Cristo bendito, que ya lo pensé!»

[270] *mercé* (arcaísmo): merced, premio. Se advertirá fácilmente que las palabras del verdugo son de una rudeza irónica muy acorde con el retrato moral que se nos hace de él.   [271] *tajo*: soporte de madera sobre el que se cortaba la cabeza a los condenados.

«Diez doblas[272] pediste, sayón mercenario;[273]
diez doblas cabales al punto te di.   190
¿Pretendes ahora negarme, falsario,
la gracia que en cambio tan sola pedí?»

«Rapaz, no, por cierto; creí que temblabas.
Bien presto al que odias verásle morir.»
Y en esto, cerrojos se escuchan y aldabas,[274]   195
y puertas herradas[275] se sienten abrir.

Salió el comunero gallardo, contrito,[276]
oyendo al buen fraile que hablándole va.
Enfrente el cadalso miró de hito en hito,
mas no de turbarse señales dará.   200

Encima subido, de hinojos postrado,
al Mártir por todos[277] oró con fervor;
después, sobre el tajo grosero inclinado:
«¡El golpe de muerte!», clamó con valor.

Alzada en el aire su fiera cuchilla,   205
volviéndose un tanto con ira el sayón,
al triste que en vano lidió por Castilla
prepara en la muerte crüel galardón.

Mas antes que el golpe descargue tremendo,
veloz cual pelota[278] que lanza arcabuz,   210

[272] *doblas*: monedas castellanas de oro. [273] *sayón mercenario*: verdugo avaricioso. [274] *aldabas*: barras de metal o madera con que se asegura el cierre de puertas y ventanas. [275] *herradas*: guarnecidas de hierro. [276] *contrito*: en actitud de arrepentimiento de sus pecados. [277] Es decir, a Cristo. [278] *pelota*: bala.

se arroja al cautivo, «¡García!» diciendo,
el bulto vestido del negro capuz.

«¡Mi Blanca!», responde; y un beso, el postrero,
se dan, y en el punto la espada cayó.[279]
Terror invencible sintió el sayón fiero   215
cuando ambas cabezas cortadas miró.

JOSÉ ZORRILLA

47

El trovador

I

De un elevado castillo
que Arlanza orgulloso baña,[280]
un trovador elegante
en la puente[281] se paraba.
En el rastrillo golpea   5

[279] La tendencia romántica al efectismo hizo abundante uso del recurso dramático de la *anagnórisis* o descubrimiento final de la verdadera identidad de un personaje, cuidadosamente disimulada hasta entonces.   [280] Las ruinas de un antiguo castillo situado en Arroyo de Muñó, provincia de Burgos, excitaron en varias ocasiones la imaginación poética de Zorrilla, que, por otra parte, confunde el río Arlanza con el Arlanzón.   [281] La utilización en femenino del sustantivo *puente* revela desde el principio la voluntad arcaizante que domina en el poema.

con el pomo de una daga,
y en los góticos salones
ronco el eco se propaga.
Un joven doncel del fuerte
presentóse en la muralla,   10
y con semblante halagüeño
dijo en alta voz: «¿Quién llama?»
El trovador, que le ha oído,
dirigióle aquesta fabla:[282]
«Si llegado es en buenhora   15
un pacífico infanzón[283]
que envía a vuestra señora
don Rodrigo de Aragón.»
Se alzó a este tiempo el rastrillo,
y en el patio tuvo entrada;   20
un paje tomó el corcel
por las riendas plateadas,
y el gallardo trovador
por los salones se entraba.

II

Confuso ruido se oía   25
en la sala principal,

---

[282] *aquesta fabla*: estas palabras. Es un arcaísmo imitativo del habla medieval, recurso que se manifiesta abundantemente en el poema: *val* (vale), *vido* (vio), *fermosa* (hermosa), *nasce* (nace), etc. Limitamos la anotación a los casos de mayor dificultad significativa.   [283] *infanzón*: hidalgo (perteneciente a la escala inferior de la nobleza). La conjunción *si* que encabeza la respuesta del personaje muestra el uso puramente enfático que era frecuente en el habla medieval.

y el extranjero[284]
hacia ella se dirigía
en continente marcial[285]
    muy altanero.   30
Hallóla toda ocupada
de galanes y de bellas
    en gran festín;
doña Blanca de Moncada
se ve la primera entre ellas,   35
    como la rosa
    más orgullosa
    en un jardín.
El día feliz memora[286]
en que luz primera vio;   40
    y a su lado
por eso, gentil señora,[287]
tanta dama encantadora,
tanto héroe celebrado
hoy reunió.   45

III

Entró do estaba el convite
gentil el recién venido;
    hizo gracia[288]
con el morado sombrero,
    y atrevido,   50

[284] *extranjero*: extraño, forastero. [285] *en continente marcial*: con aspecto gallardo. [286] *memora*: conmemora. [287] Entiéndase «como gentil señora que es». [288] *hizo gracia*: agradó.

en denodado[289] ademán
a doña Blanca se fue;
y después de haber pedido
su venia, ante ella galán
    quedó en pie.   55
La dama se la otorgó,
y así el trovador habló:

IV

«Don Enrique mi señor,
el cuarto Enrique que es,
me manda donde me ves   60
a mí, que soy trovador,
trovador aragonés.
    «Diz[290] que es hoy vuestro natal,
y este monarca del mundo
quiere honrarlo como tal,   65
que el cuarto Enrique así val
como val Juan el segundo.[291]

    «Y una trova te regala
que trova de amores es
y ninguna se la iguala;   70
por eso vine de gala,
trovador aragonés.»

---

[289] *denodado*: resuelto.   [290] *diz* (arcaísmo): se dice.   [291] Se alude a la rivalidad política entre Enrique IV de Castilla y Juan II de Aragón, hermano y padre respectivamente de Isabel I y Fernando V, los futuros Reyes Católicos.

«Yo a tu señor agradezco
—doña Blanca respondió—
de un amor que no merezco   75
esta prueba que me dio.
Y a estas damas placerá
y galanes que aquí ves
        trova de amores
        que cantará   80
trovador aragonés.»

V

Trova

«Un día risueño
prepara la aurora.
¡Feliz la señora
del alto Muñón!   85
¡Oh, cuántas personas
se ven a su lado!
¡Cuánto señalado
valiente infanzón!

«Un búho funesto   90
que cerca habitaba
lejano graznaba:
¡se le vido huir!
La blanca paloma
ocupa su nido: 95
su amante gemido
se acaba de oír.

«Porque hoy es el día
de Blanca fermosa,
la más bella rosa   100
que tiene el jardín.
¡Trovas y alegría
y largo festín!
Que nasce fermosa
la más bella rosa   105
que tiene el jardín.»

VI

Su dulce voz expiró,
y sus ecos repitieron
las bóvedas de Muñó.

Y en vano le pidieron   110
quedase en el castillo.
No pueden los caballeros
ni las damas alcanzallo,
que ha pedido su caballo
        y mandó   115
que le alzaran el rastrillo;
despidióse muy cortés
y díjoles al partir:
«Quedárame hasta mañana
en este festín de amor,   120
y fuera de buena gana;
mas de Enrique mi señor
otra la voluntad es,

y yo soy su trovador:
trovador y aragonés.»   125

PABLO PIFERRER

48

El ermitaño de Montserrat

Allá en Montserrat[292] mora el ermitaño.
¿Sabéis por qué mora del convento al pie?
Con áspera vida un año y otro año
orando ha llorado: bien sabréis por qué,
por qué con tal vida vive el ermitaño.   5

El buen caballero partió de su tierra;
allende[293] los mares la gloria buscó;
los años volaban: se acabó la guerra;
y allende los mares hasta él voló,
voló un triste viento de su dulce tierra.   10

«Aprisa, mis pajes, aprisa el caballo.
Señora del alma, mi amor, ¿qué es de ti?

---

[292] *Montserrat*: macizo montañoso de la provincia de Barcelona. En uno de sus repliegues existe desde el siglo XI un monasterio benedictino. [293] *allende*: más allá de.

En bascas[294] de muerte conmigo batallo:
o infiel o difunta: ¿qué de ello?, ¡ay de mí!»
Y «¡ay de mí!» diciendo, aguija el caballo.   15

Los mares cruzaba; llegaba a su suelo:
«Madre, madre mía, mi amada ¿dó está?»
«¡Ay hijo, el mi hijo: consuélete el cielo;
viva está tu amada, mas ya no será,
ya no será tuya mientra esté en el suelo.»   20

De Santa Cecilia[295] llamaba a la puerta;
los golpes doblando redobla el furor:
«Señora, ¿no me oyes? Más te quiero muerta
que infiel y perjura al antiguo amor,
al amor que agora profana esa puerta.»   25

Flotante el cabello, ceñida de flores,
la ve tras la reja; ¿qué voz la llamó?
«Mis lágrimas mira; por nuestros amores
aquí vesme: un voto mi amor pronunció,
pronunció que pronto secará estas flores.   30

«Voté,[296] si tornases a la patria[297] tierra
salvo de las lides, consagrarme a Dios;
tornabas con gloria de lejana guerra;
¡feliz fue mi voto! ¡Mi voto a los dos,
a los dos separa por siempre en la tierra!   35

---

[294] *bascas*: ansias.   [295] *Santa Cecilia*: antiguo convento situado también en la montaña de Montserrat.   [296] *voté*: hice voto de.   [297] Nótese que el término *patria* está utilizado como adjetivo.

«¿Oyes las campanas? Llegada es la hora:
el Señor me llama al pie del altar.
Nuestro amor olvida, aunque el alma llora.
¡Dios, que te ha salvado, quiera conhortar,[298]
conhortar la angustia en esta triste hora!»   40

Suspiros amargos lanzando del pecho,
los brazos caídos, la frente inclinó;
escuchó su voto en llanto deshecho;
sonó dentro el coro; mudo se postró,
se postró las manos cruzando en el pecho.   45

Lloró, lloró el triste; su vida llorando
vivió solitario del convento al pie;
pasó un año y otro; en llanto y orando
le encontró otro año: ya sabéis por qué,
por qué así ha vivido en rezo y llorando.   50

Ora en Montserrat doblan las campanas:
débil en la ermita una oigo tañer;
en Santa Cecilia, otras más cercanas.
¿Por qué éstas a aquélla se oyen responder,
responder doblando tan tristes campanas?   55

---

[298] *conhortar* (arcaísmo): confortar, consolar.

Guía de lectura

Dados los objetivos de iniciación literaria con los que ha surgido esta antología, así como las diferencias de edad y conocimientos que cabe suponer en
la amplia colectividad escolar a la que va dirigida, hemos creído conveniente
desarrollar su guía de lectura atendiendo a dos posibles niveles de adecuación lectora y capacidad interpretativa. En modo alguno se excluyen entre sí.
Lo que se ha pretendido es justamente que el lector interesado pase de una a
otra sin que ello exija un salto decisivo en cuanto a su preparación intelec-
tual. En este sentido, la guía cumple en el primer nivel una función más claramente orientativa, lo que nos ha llevado a especificar en cada caso las lec-
turas —fragmentarias a veces— más asequibles y de más evidente relación
con el poema del que se esté tratando.

PRIMER NIVEL

• **Poema 3** (José de Espronceda: A Jarifa en una orgía), versos 57-76.
En este fragmento aparece condensado el sentido general de la composición,
que, según queda dicho en la nota introductoria correspondiente (25), resulta una perfecta descripción lírica del proceso psicológico (idealismo-choque
con la realidad-decepción existencial) vivido con especial dramatismo por
los escritores románticos y convertido desde el primer momento en uno de los
motivos temáticos más característicos de todo el movimiento.

Cuestiones

① ¿Cómo caracteriza Espronceda cada una de las etapas del mencionado proceso psicológico?
② ¿Qué imágenes (comparaciones y metáforas) utiliza para des-
cribir su época de entusiasmo existencial? ¿Tienen algo en común?

③ ¿Cómo se podrían agrupar los adjetivos en relación con la etapa vital a la que se refieren? ¿Destaca el significado positivo o negativo de unos y otros? ¿Responde su empleo, en uno u otro caso, a esa tendencia hiperbólica tan insistentemente seguida por los autores del Romanticismo?

Lectura complementaria: poemas **2** (versos 1-24) y **6**.

• *Poema 7 (Gustavo Adolfo Bécquer:* Rima LXVI). *Pertenece al conjunto de rimas en el que la desolada visión de la propia existencia aparece plasmada con mayor dramatismo. Obsérvese que, utilizando como eje temporal el plano del presente, Bécquer nos remite a su amarga experiencia vital hasta ese momento (un pasado que, como tal, ha sido realmente vivido) para igualarla en la segunda parte con lo que, sin asomo de duda, considera que será su experiencia vital posterior (un futuro que, como tal, sólo puede ser presentido).*

Cuestiones

① ¿Cómo se explica el convencido pesimismo del autor acerca de su vida futura? ¿Responde a una actitud anímica relacionable con el Romanticismo? ¿Puede tener algo que ver con ello el concepto romántico del destino?

② Aunque el paisaje en sí mismo no constituya el centro temático de la composición, ¿pueden encontrarse en ella elementos identificables con la visión de la naturaleza propia del movimiento?

③ ¿Presenta el poema una distribución estructural adaptada a su doble proyección temática hacia el pasado y hacia el futuro? ¿Cómo afecta a la métrica?

Lectura complementaria: poemas **4** (versos 97-152), **9** y **21**.

• *Poema 10 (Rosalía de Castro:* En su cárcel de espinos y rosas...). *Como las demás composiciones de la autora incluidas en esta antología, la presente pertenece al libro* En las orillas del Sar, *última de sus obras poéticas, para la cual eligió el idioma castellano en lugar del gallego, que había sido hasta entonces su cauce de expresión lírica. Según queda apuntado en la nota 82, Rosalía de Castro traspasa aquí los límites del pesimismo existencial con que el artista romántico suele contemplarse a sí mismo para implicar en él a sus hijos de corta edad, dando a entender con ello que la presencia del mal y del dolor en el mundo afecta irremediablemente a todo ser humano desde su nacimiento.*

Cuestiones

(1) ¿Cuáles son y cómo se describen los deseos insatisfechos de los niños?

(2) La presencia de un destino injusto contra el que parece inútil luchar se impone ya desde el principio del poema (versos 3-4). Pero en los dos versos finales la causa de la desgracia humana tiene un culpable muy concreto. ¿Qué afirmación encierra este pasaje conclusivo? ¿Debe interpretarse todo el poema a partir de tal afirmación?

(3) ¿Qué significado encierra la metáfora *cárcel*? ¿Con qué otros términos también metafóricos aparece relacionada?

Lectura complementaria: poema **4** (versos 17-40).

• **Poema 11** *(Duque de Rivas:* A las estrellas). *En la introducción a esta antología se ha aludido ya a la poderosa atracción ejercida sobre los poetas románticos por el espacio sideral, particularmente en lo que se refiere a su contemplación nocturna. Su silenciosa inmensidad, su lejanía, su misterio representaban la contrapartida del medio terrenal con todas sus limitaciones y miserias. ¿Y qué mejor confidente que los astros para quien se siente ajeno al mundo en el que vive o, como en este caso, para quien se sabe lejos de su amada y sólo le queda el recurso de buscar la unidad amorosa en la contemplación del mismo cielo que ella?*

Cuestiones

(1) ¿Qué recuerdos despierta en el autor la contemplación de la noche estrellada?

(2) ¿Cómo y por qué se siente unido a través de los astros a la persona amada?

(3) La composición adopta como forma métrica una variante de la llamada *estrofa sáfico-adónica,* muy cultivada por los poetas españoles del siglo XVIII. ¿Cuál es su esquema? ¿Tiene rima?

Lectura complementaria: poema **12** (versos 13-48).

• *Poema 13 (Enrique Gil y Carrasco:* Una gota de rocío), *versos 1-40. De acuerdo con lo explicado en la nota introductoria al poema (100), el autor se aleja decididamente del gusto romántico por las visiones sobrecogedoras de la naturaleza para detenerse en la contemplación de sus manifestaciones más sencillas e inmediatas y extraer de ellas consideraciones poéticas de un melancólico alcance existencial.*

Cuestiones

(1) Una buena parte del fragmento se desarrolla en forma de sucesivas interrogaciones retóricas. ¿Intensifica el atractivo misterioso que la gota de rocío tiene para el autor el hecho de que éste no haga afirmaciones contundentes sobre ella?

(2) ¿Cuáles son concretamente las realidades con que se identifica a la gota de rocío? ¿Su elección nos informa de alguna manera acerca del estado anímico del autor?

(3) El fragmento muestra una fluidez expresiva a la que contribuye en buena medida su distribución métrico-estrófica. ¿Cuál es su esquema?

Lectura complementaria: poema **14** (versos 9-28).

• *Poema 16 (Gustavo Adolfo Bécquer:* Rima LII). *Nos encontramos en esta ocasión ante el protagonismo extremadamente arrebatado de un típico yo romántico que, aplastado por el peso de su sufrimiento, anhela fundirse con una naturaleza en plena manifestación de violencia, con la esperanza de que acabe disolviéndose en ella la conciencia del propio dolor.*

Cuestiones

(1) La invocación a una naturaleza tempestuosa se concreta en tres aspectos diferentes de la misma, enumerados en una gradación ascendente. ¿Se intensifica así el deseo de alejamiento terrenal?

(2) ¿Puede considerarse que la violencia de los fenómenos naturales descritos guarda alguna relación simbólica con la situación espiritual del autor?

(3) Bécquer muestra en las *Rimas* una marcada tendencia a la organización del poema en secciones paralelísticas. ¿Sucede también en este caso?

Lectura complementaria: poema **17**.

• **Poema 19** (*Gabriel García Tassara:* La tribulación). *Se trata de una de las muy escasas composiciones románticas que merecen cabida en una antología general de la lírica religiosa española, quizá la más rica en obras maestras de la literatura occidental. Pero puede advertirse que la fe del poeta muestra unos resquicios de duda que entroncan claramente con ese sentimiento de incertidumbre religiosa del que —según se ha explicado en la introducción— se sintieron partícipes tantos escritores del Romanticismo.*

Cuestiones

(1) ¿En qué medida muestra la composición sentimientos románticos relacionados con la decepción vital y los consiguientes anhelos de evasión?

(2) ¿La interrogación retórica de los dos últimos versos deja traslucir algún sentimiento de inseguridad religiosa por parte del autor?

(3) El poema se ajusta a la forma métrica del *soneto*. ¿Cuáles son los componentes estróficos del mismo? ¿Se ciñe fielmente a ellos el discurso poético?

Lectura complementaria: poema **24**.

• **Poema 23** (*Rosalía de Castro:* Era apacible el día...). *Como tantas veces sucede en el ámbito de la creación literaria, un acontecimiento biográfico (véase nota **138**) da lugar no sólo a la expresión de sentimientos directamente relacionados con él, sino también a una serie de reflexiones de dimensión más amplia, que, en el presente caso, aciertan a fundir admirablemente el dolor por la muerte de un ser querido, la dolorosa aceptación del destino mortal del ser humano y la esperanza en la supervivencia y en el reencuentro final más allá de la muerte.*

Cuestiones

(1) ¿Cómo se nos describe el ambiente en que se produce la muerte del niño? ¿Contrasta con las referencias de la autora a su propio estado de ánimo?

(2) ¿En qué afirmaciones se funda la esperanza en un futuro reencuentro?

(3) ¿Qué visión se nos da de la existencia humana en los cuatro últimos versos? ¿Dejan traslucir éstos una actitud de resignación ante la desgracia?

Lectura complementaria: poema **22**.

• *Poema 28 (Carolina Coronado:* El amor de los amores), *partes II y III. En los términos de esa ambigüedad señalada en la nota introductoria al poema (160), siempre oscilante entre un deseo amoroso de naturaleza puramente humana y una progresiva identificación del amante con un ser superior —inequívocamente el propio Dios al final de la composición—, las secciones que nos ocupan se centran en dos motivos temáticos: la búsqueda infructuosa del ausente (parte II) y la creciente intuición de la identidad divina de éste a través de sus manifestaciones físicas en la naturaleza (parte III).*

Cuestiones

(1) El lamento amoroso de la parte II aparece expresado sucesivamente en distinta persona gramatical. ¿Dónde se produce el cambio? ¿Se consigue con él un efecto de proximidad física?

(2) ¿Con qué tres elementos de la naturaleza se identifica al amado en la parte III? ¿Tienen algo en común los dos primeros? ¿Sobre qué aspectos del tercero se establece la identificación?

(3) ¿En qué momento de esta parte III se hace más evidente la consideración sobrehumana del amado?

Lectura complementaria: poema **26** (versos 1-45)

• *Poema 34 (Gustavo Adolfo Bécquer:* Rima LIII). *En esta famosísima composición el autor rememora con acentos de contenida tristeza su frustrada experiencia amorosa. Obsérvese que no hay lamentaciones ni reproches claramente expresados. Pero sí la orgullosa seguridad por parte del poeta de la superioridad de sus sentimientos frente a los que la amada pueda inspirar en el futuro a otros hombres.*

Cuestiones

(1) ¿En qué momento del poema se hace más evidente ese sentimiento de superioridad amorosa?

(2) ¿De qué manera interviene la naturaleza en la experiencia reme-morada por el autor? ¿En qué medida se muestra solidaria con él?

(3) ¿La estructura de la composición presenta un desarrollo parale-lístico comparable al de las otras *rimas* seleccionadas en esta guía de lectura?

Lectura complementaria: poemas **25** y **31**.

• **Poema 39** (*Rosalía de Castro:* Era la última noche...). *La sensibili-dad de la autora ante la injusticia social, cualquiera que sea el aspecto huma-no en que se manifieste, se proyecta repetidamente en su obra, y siempre con acentos de enérgica protesta. Pero la constatación inmediata de las dolorosas situaciones provocadas por el problema de la emigración gallega hace de ésta el fenómeno social que con mayor insistencia aparece denunciado en los ver-sos de Rosalía de Castro.*

Cuestiones

(1) La situación descrita en el poema subraya la actitud combativa de los personajes frente a la tristeza que domina el ambiente. ¿En qué se apoyan para mantener tal actitud? ¿Puede considerarse que la au-tora comparte su esperanza?

(2) ¿En qué medida los dos versos finales concentran y generalizan la protesta social de la autora?

(3) La sencillez expresiva a la que tiende la composición se corres-ponde con una forma métrica de desarrollo simple y espontáneo. ¿Qué tipo de versos utiliza? ¿Cómo es la rima y qué cambios experi-menta en su distribución a lo largo del poema?

Lectura complementaria: Poema **38**.

• **Poema 40** (*José de Espronceda:* Canción del pirata). *Véase lo dicho en la nota introductoria (194).*

Cuestiones

(1) ¿Qué rasgos psicológicos y morales pueden considerarse como los más característicos del protagonista? ¿En qué medida hacen de él un típico héroe romántico?

$\textcircled{2}$ ¿Podría esbozarse una biografía del personaje desde sus referencias a un pasado más o menos lejano (versos 77-84) hasta el momento en que se inicia el poema?

$\textcircled{3}$ La composición es un perfecto ejemplo de la polimetría romántica. ¿Qué secciones métrico-estróficas pueden distinguirse?

Lectura complementaria: poemas **41** y **42**.

• *Poema 45* (José Zorrilla: Oriental). *Estamos ante otra de las composiciones más populares de nuestra poesía. Como indica su título, se trata de una* oriental, *modalidad épico-lírica, abundantemente cultivada en el Romanticismo, que entre nosotros se adaptó con frecuencia a la tradición barroca del* romance morisco, *como queda anotado (246). Característica del género es la visión noble, caballeresca que se nos da del árabe, frente al habitual enfoque negativo a que lo sometió la literatura española anterior a los Siglos de Oro.*

Cuestiones

$\textcircled{1}$ ¿Se corresponde con esa visión caballeresca el comportamiento mostrado por el protagonista? ¿Qué cualidades destacan en él?

$\textcircled{2}$ Uno de los rasgos más distintivos del romance tradicional es su tendencia al descriptivismo. ¿En qué medida se aprecia el mismo rasgo aquí? ¿Cómo se integra el pasaje descriptivo central en la estructura narrativa del poema?

$\textcircled{3}$ En los versos finales (53 y ss.) se produce una clara diferenciación entre el mundo en el que vive el capitán árabe y el mundo al que pertenece la mujer cristiana. ¿En qué realidades se apoya tal diferenciación?

Lectura complementaria poema **44**.

• *Poema 48* (Pablo Piferrer: El ermitaño de Montserrat). *Se trata de una especie de* balada *(composición épico-lírica, relativamente breve, de asunto legendario y estructura que favorece su adaptación a una línea melódica cantada). Como puede observarse, el desarrollo argumental del poema es bastante escaso: interesa más en él lo que se sugiere que lo que se relata de manera directa.*

Cuestiones

(1) La línea narrativa seguida por el autor supone un doble salto temporal del plano del presente al del pasado para volver de nuevo al del presente. ¿Cómo se justifica esta alternancia? ¿Queda reflejada en las formas verbales?

(2) El poema concluye con una interrogación retórica de efectos muy sugerentes. ¿Qué significado encierra?

(3) La musicalidad característica de la poesía de Piferrer recurre con frecuencia al empleo de procedimientos estilísticos como los dos que más destacan en esta composición: la *anadiplosis* (iniciación de un verso con la misma palabra o expresión con que ha finalizado el verso anterior) y la *aliteración* (construcción de la frase con palabras en las que se repiten los mismos sonidos). ¿Dónde se manifiestan uno y otro recurso?

Lectura complementaria: poema **47**.

SEGUNDO NIVEL

• ***Poema 9*** (*Rosalía de Castro:* Ya que de la esperanza para la vida mía...). *Constituye la última de las composiciones integrantes de un conjunto unitario —a él pertenece asimismo el poema 8—, cuyas partes guardan, sin embargo, una evidente autonomía poética. En la que nos ocupa, el sentimiento de desolación vital que recorre toda la serie alcanza su mayor grado de intensidad. Pocas veces se ha llegado en la historia de la lírica española a semejantes extremos de amargura.*

Cuestiones

(1) La composición parte de una situación temporal muy concreta: la proximidad de la noche, que pone fin al paseo meditativo que parece estar dando la autora. ¿Qué significado metafórico cobra esta situación?

(2) La adjetivación se muestra particularmente acumulativa en los versos 2 y 3. ¿Hasta qué punto reflejan los epítetos el pesimismo vital de la autora?

(3) La expresión del sentimiento de amargura se intensifica definitivamente con la enumeración final (versos 7-10). ¿Sobre qué componentes simbólicos se desarrolla ésta?

184

(4) La distribución de rima del poema presenta consonancias inter-
nas. ¿Cuáles concretamente? ¿Coinciden con la habitual división del
verso alejandrino (14 sílabas métricas) en dos hemistiquios?

• *Poema 12* (*Nicomedes Pastor Díaz:* A la luna). *Nos hallamos sin
duda ante uno de los ejemplos más representativos y valiosos de esa lírica* sideral *hacia la que derivó en tantas ocasiones el protagonismo cobrado por la
naturaleza en la literatura romántica. El autor ha creído encontrar en la luna la comprensión y el afecto que le ha negado siempre el mundo terrenal, y
a ella le confiesa la amargura que embarga su existencia, dominada por el
trauma biográfico a que hace referencia la nota 93.*

Cuestiones

(1) La recurrente presencia de la luna en la literatura universal suele mostrar una intención simbólica de alcance significativo muy diverso, pero relacionable a menudo con la muerte. ¿Se advierte aquí
algún tipo de simbolismo fúnebre?
(2) Las alusiones directas a la muerte de la amada surgen de manera un tanto ocasional, pero marcan los momentos de mayor intensidad emotiva del poema. ¿En qué pasajes se producen concretamente? ¿Hasta qué punto determinan el concepto existencial del autor?
(3) Frente a su inevitable aparición en cualquier obra neoclásica, en
el Romanticismo escasean, por lo general, las referencias mitológicas.
Esta composición, sin embargo, nos ofrece una que se desarrolla a lo
largo de toda una estrofa (versos 89-96). ¿Cuál es su significado? ¿Por
qué se nos dice que el hombre sería más feliz ignorando esa edad mítica a la que se hace alusión?
(4) El pesimismo del autor se acentúa en las dos últimas estrofas,
donde aparece una visión de la luna distinta a la que venía manteniendo hasta entonces. ¿En qué se diferencia de la otra? ¿Representa
de algún modo esta última la definitiva desesperanza del poeta?

• *Poema 14* (*Enrique Gil y Carrasco:* La violeta). *Es la composición
poética más célebre de un autor recordado sobre todo por su novela histórica*
El señor de Bembibre, *pero cuya producción en verso no por breve deja de
contener algunos de los momentos más elevados de nuestra lírica romántica*

anterior a Bécquer, de quien, en cierto modo, es precursor por su intimismo delicado y melancólico, siempre alejado de la altisonancia y el desgarro expresivos. Véase nota 100.

Cuestiones

(1) El autor ha hecho de la violeta «el emblema de mi vida» (verso 15). Posteriormente dirá: «un ser humano en tu corola vi» (verso 68). ¿Con qué aspectos de la flor se siente más identificado? ¿Sobre qué principales imágenes poéticas queda expresada la identificación?

(2) El poema se apoya en el motivo temático del regreso, a partir del cual surgen los recuerdos de la pasada experiencia vital. ¿Cómo se nos describe esta experiencia? ¿Encierra sentimientos relacionables con la psicología característica del escritor romántico?

(3) Sobre el presente del poeta se proyecta la sombra cercana de la muerte (versos 59-80), en lo que parece más un presentimiento real del propio fin —Gil y Carrasco murió pocos años después de compuesto el poema, a los treinta y uno de edad— que un simple recurso temático. ¿Qué actitud anímica revelan las referencias a una muerte próxima? ¿Qué función significativa cumple en ellas la flor? ¿Se sugiere en las dos últimas estrofas una esperanza de supervivencia a través del recuerdo?

(4) La tendencia a la vaguedad expresiva, a la evocación imprecisa y hasta misteriosa es una constante en la lírica de Gil y Carrasco. Obsérvese, por ejemplo, la indefinida presencia de esa «virgen de los valles» en la cual se centra el final de la composición. ¿Se advierten a lo largo de ésta pasajes parecidos?

• **Poema 18** (*Gertrudis Gómez de Avellaneda:* Cuartetos escritos en un cementerio). *El Romanticismo hizo del marco funerario uno de sus tópicos ambientales más característicos, sobre todo en el campo teatral. En el presente caso la autora renuncia casi por completo a la descripción física del medio en que se halla —llevada a cabo, por lo general, con tonos de siniestro realismo— para hacer de él un ámbito simbólico-existencial a partir del cual se desarrollan sus reflexiones acerca de la muerte y de sus posibilidades liberadoras para la dolorosa experiencia vital del ser humano.*

Cuestiones

(1) La concepción de la muerte como descanso definitivo surge casi siempre en el poema por contraste con las penalidades existenciales del hombre. Pero también aparece expresada a través de imágenes precisas. ¿Cuáles son?

(2) La autora registra diversos aspectos de una conflictividad humana que, en definitiva, gira siempre en torno al concepto romántico de la decepción. ¿Qué situaciones vitales la provocan? ¿Qué participación tiene en ellas el destino?

(3) El poema se dirige claramente a quienes la autora considera que pueden entender sus reflexiones por encontrarse en su misma disposición anímica. ¿Quiénes quedan excluidos en la segunda estrofa? Teniendo en cuenta que la biografía plenamente romántica de la escritora la mantuvo durante mucho tiempo en ese círculo excluyente, ¿puede considerarse que se está refiriendo a una etapa vital transitoria, inevitablemente abocada también a la decepción?

(4) La ya comentada carencia general de elementos descriptivos no evita la presencia en la composición de ciertas referencias a la naturaleza (primera estrofa) cargadas de significación connotativa. ¿Qué aportan al respecto los términos *sauce* y *aura*?

• *Poema 21* (*Gustavo Adolfo Bécquer:* Rima LXI). *De acuerdo con lo señalado en la nota introductoria (130), en esta* rima *la premonición de la propia muerte no es acogida por el autor con la actitud serena de quien cree encontrar en ella la única posibilidad de alivio para su sufrimiento existencial. Por el contrario, ahora es un sentimiento obsesivo de angustia ante la soledad y el olvido absolutos —ante la anulación definitiva del* yo— *el que marca el lúgubre desarrollo temático del poema.*

Cuestiones

(1) La conocida inclinación de Bécquer a la organización estrófica del poema en secciones paralelísticas tiene también aquí uno de sus más elocuentes ejemplos. Cada una de estas secciones culmina emocionalmente en una interrogación retórica que se inicia en todos los casos con el pronombre *quién* y acaba con un verbo en futuro, pero

siempre distinto. ¿Qué afirmación constante encierra en realidad ese pronombre en relación con la diversidad verbal de la que es sujeto?

(2) El discurso poético progresa sobre una gradación basada en las sucesivas etapas de la situación personal imaginada por el autor. ¿Cuáles son éstas? ¿A partir de qué verso su imaginación rebasa el momento en que se ha producido la muerte física?

(3) La descripción de ese proceso final recreado por Bécquer no llega a caer en el tremendismo fúnebre al que el Romanticismo no siempre supo sustraerse, pero tampoco escatima los detalles realistas al respecto. ¿Cuáles podrían señalarse como los más relevantes?

(4) El poema carece casi por completo de metáforas, y los epítetos escasean de manera notable. ¿Pueden ponerse estos hechos en relación con el descriptivismo realista apuntado en la cuestión anterior?

• **Poema 33** (*Gustavo Adolfo Bécquer:* Rima XLVIII). *Pertenece al grupo de rimas surgido en torno a una frustrante experiencia amorosa vivida por el autor, la cual, en casos como el presente, adquiere expresión lírica con acentos singularmente desgarrados y hasta se adentra en una dimensión existencial que supera los límites de la motivación temática que puede derivarse de un acontecimiento biográfico puntual.*

Cuestiones

(1) El dramatismo expresivo con que se inicia el poema encuentra un importante apoyo en la aliteración de cierto sonido consonántico cuya presencia se prolonga, a su vez, mediante el empleo de una derivación. ¿Dónde se localizan concretamente ambos recursos estilísticos? ¿Contrasta esta aliteración con la que se percibe también en el verso 5?

(2) Aunque expresada desde un sentimiento de despecho amoroso, la idealización romántica de la amada tiene una referencia extrema en los versos 5-8. ¿En qué términos se produce?

(3) La actitud del poeta empieza pareciendo muy firme en su rechazo de un pasado amoroso que le ha ocasionado profundo dolor. ¿Se va atenuando esa firmeza a lo largo de la composición? ¿En qué momento se afirma claramente que el deseo de olvidar no se ha visto realizado?

④ Los dos versos conclusivos contienen una paradoja establecida sobre el diverso sentido metafórico con que el autor utiliza los términos —aparentemente sinónimos— *sueño* y *soñar*. ¿Cómo ha de interpretarse su sentido real? ¿Sobrepasa éste, desde un punto de vista ampliamente existencial, el comprensible estado de ánimo resultante de una vivencia amorosa negativa?

• ***Poema 37*** *(José Zorrilla:* A España artística). *Este soneto es una buena muestra del Zorrilla más preocupado por los problemas de la realidad nacional: una preocupación que, si bien no es dominante en su obra poética, surge a lo largo de ella con notable abundancia, desmintiendo en alguna medida la imagen tópica de poeta conformista y evasivo que le sigue acompañando.*

Cuestiones

① El autor se muestra muy preciso en la denuncia de una determinada situación que supone, sin duda, la existencia de problemas nacionales más profundos, a los que, sin embargo, no se refiere de manera directa. ¿Cuál es concretamente la situación denunciada? ¿Quiénes son responsables de ella?

② En relación con la cuestión anterior, obsérvese que la acusación recae, en términos abstractos, sobre la misma España que está siendo víctima del problema. ¿Cómo se explica esta paradoja?

③ La rabia del poeta se hace evidente desde el principio, pero alcanza su punto culminante con la imprecación surgida a partir del verso 9. ¿En qué medida contribuyen los epítetos a intensificar esa actitud colérica? ¿De qué otros recursos expresivos se sirve el autor?

④ La estructura métrica del soneto exige la máxima adecuación del desarrollo temático del discurso a sus cuatro componentes estróficos. ¿Se consigue plenamente aquí?

• ***Poema 41*** *(José de Espronceda:* El mendigo). *Aunque el parentesco de esta composición con la* Canción del pirata, *del mismo autor, se hace evidente tanto en el plano formal (estructura, disposición métrico-estrófica) como en el temático (exaltación de la libertad y de la automarginación social), nada más alejado del heroísmo aventurero del pirata que la actitud cínica-*

mente antiheroica de este mendigo, que, sin dejar de ser un prototipo román-
tico, piensa y se comporta aquí como podría haberlo hecho entre las páginas
de una novela picaresca.

Cuestiones

(1) Por más que el término *canción* no conste en su título, el poema
es un claro ejemplo de esa modalidad lírica, a la que el Romanticismo
dio fisonomía propia. Dada la función repetitiva encomendada en
ella al estribillo, es natural que el autor procurase concentrar en éste
algún aspecto temático especialmente relevante dentro del significado global de la composición. ¿Qué ideas esenciales quedan subraya-
das aquí mediante la repetición del estribillo? ¿Se produce con cons-
tancia simétrica la aparición del mismo?

(2) La postura vital del mendigo se hace patente desde los primeros
versos, pero, a lo largo del poema, el personaje se complace en ilus-
trar esa postura con ejemplos de su comportamiento personal ante
diferentes situaciones. ¿En qué medio social se centra mayormente?
¿Cuál es su actitud frente a él?

(3) En la relación autobiográfica del protagonista no hay ningún
elemento psicológico que permita su identificación con cualquiera
de los aspectos en que se manifiesta la conflictividad existencial romántica. Lo que predomina en ella es más bien un componente de
indiferencia vital capaz incluso de evocar sin ningún dramatismo
las circunstancias que puedan rodear la propia muerte. ¿Puede en-
tenderse que el personaje encarna la contrapartida ideal de la decepción y la angustia románticas? ¿Ejemplifica el poema de algún
modo la tendencia evasiva seguida por el Romanticismo en tantas
ocasiones?

(4) La polimetría en la que se empeñó el movimiento como una
muestra más de libertad expresiva alcanza con Espronceda sus mejores realizaciones, y de ello es buena prueba esta composición. ¿Qué
secciones métrico-estróficas se distinguen en ella? ¿Se van repitien-
do sin alteraciones? ¿Qué tipos diferentes de verso pueden identifi-
carse?

• **Poema 43** *(Juan Arolas:* El harén). *La evocación de un ámbito exótico*
en torno al cual la imaginación romántica despliega sus dotes descriptivas más

sensuales y coloristas tiene en esta composición una de sus mejores plasmaciones poéticas. Pero, en esta ocasión, no estamos ante un medio cuidadosamente idealizado para que resuene con más fuerza en él la queja existencial del autor ni ante el tópico marco ambiental que una narración legendaria pudiera exigir. Aquí la evocación no tiene otro objetivo que el puro placer de ser llevada a cabo.

Cuestiones

(1) Arolas nos describe un ambiente inasequible, casi mítico —justamente el reverso poético de la inmediata y oscura realidad—, por más que parta de situaciones reales todavía en su tiempo (el harén) y salpique el poema de referencias geográficas más o menos precisas. ¿A qué impulsos psicológicos responde esta recreación de un mundo inexistente? ¿En qué aspectos del mismo se detiene con especial agrado la capacidad imaginativa del poeta?

(2) La sensualidad descriptiva dominante progresa desde el primer momento apoyada en un léxico repleto de connotaciones relacionadas con la belleza, el lujo y el placer. ¿Qué pasajes ejemplifican mejor este hecho? ¿Qué referencias sensoriales predominan en ellos?

(3) No se puede decir que el autor haya prescindido de los procedimientos metafóricos, pero su aparición en el poema resulta notoriamente escasa. ¿Puede deberse a una intención de realismo descriptivo? ¿Cabría tal intención en una obra de signo tan decididamente antirrealista?

(4) Tras haber evocado con sensual detallismo un mundo en el que la mujer no parece cumplir otra función que la de objeto erótico, en la estrofa final Arolas adopta inesperadamente un tono feminista para denunciar la injusticia subyacente a ese mundo. ¿A qué posibilidades interpretativas se prestan sus palabras? ¿Son fruto de una contradicción psicológica inconsciente? ¿Responden a un deseo meditado de «disfrazar» el contenido del poema —conviene recordar a este respecto que el autor era sacerdote— intentando darle en el último momento un sentido global que en realidad no tiene?

• **Poema 46** (*Patricio de la Escosura:* El bulto vestido de negro capuz). *Recuérdese lo dicho en la nota introductoria (250).*

Cuestiones

(1) La utilización del paisaje como trasfondo escenográfico en el que cobra su máximo efectismo la situación dramática es un recurso del que los dramaturgos románticos se valieron una y otra vez. En la parte I de esta composición la descripción paisajística presenta una finalidad muy semejante. ¿Qué efecto trata de producir? ¿Cómo influye en la imagen primera que nos da el personaje?

(2) Las cuatro primeras estrofas de la parte II están ocupadas por el discurso del obispo Acuña. ¿Qué conceptos ideológicos trasmite? ¿Se advierte en ellos su condición de religioso?

(3) En las partes III y IV se describe un ambiente brutal y siniestro. ¿Qué personajes dominan en él? ¿Cómo marca el autor el contraste entre ellos y el/la protagonista?

(4) El momento final (parte VI) parece de nuevo extraído de un drama romántico. ¿Qué recursos utiliza el poeta para causar el máximo efecto en el lector? ¿Cobran nuevo significado a partir de este final las pasadas reacciones de Blanca?

Índice de primeros versos

*Preparó
esta edición*

Rafael Balbín es licenciado en Filología Románica por la Universidad de Granada. Imparte actualmente clases de Lengua y Literatura Españolas en el IES Rey Pastor de Madrid. Entre sus publicaciones se cuentan diversos estudios sobre el siglo XVIII español *(Tres autores neoclásicos: Cadalso, Jovellanos y L.F. Moratín)* y sobre la poesía española de los Siglos de Oro *(La renovación poética del Renacimiento, La renovación poética del Barroco),* así como la edición de *Don Álvaro o la fuerza del sino,* del Duque de Rivas (Castalia Didáctica núm. 36).